Assessments

Español
Santillana

fans del Español

The *Assessments Blackline Master Español Santillana 3* is a part of the *Español Santillana* project, a collaborative effort by two teams specializing in the design of Spanish-language educational materials. One team is located in the United States and the other in Spain.

Writers
Rosario Cantú, María González, Luis Martínez, María Thomas, María Treviño, Ana I. Antón, Anne Smieszny, Clara Alarcón

Developmental Editor
Belén Saiz Noeda

Editorial Coordinator
Anne Smieszny

Editorial Director
Enrique Ferro

Santillana USA Publishing Company, Inc. grants permission to classroom teachers to duplicate any of the pages in this book.

Published in the United States of America.

Español Santillana. Assessments 3
ISBN-13: 978-1-61605-923-1
ISBN-10: 1-61605-923-0

Production Manager: Ángel García Encinar

Production Coordinator: Julio Hernández

Design and Layout: Victoria Lucas, Alfonso García

Proofreader: Marta Rubio

Photo Researchers: Mercedes Barcenilla

Santillana USA Publishing Company, Inc.
2023 NW 84th Avenue, Doral, FL 33122

Printed in the United States of America
by Whitehall Printing Company

1 2 3 4 5 6 7 8 9 10   16 15 14 13 12

Contenidos

Placement Test

Nombre: .... **Clase:** .... **Fecha:** ....

Examen preliminar

Vocabulario

1 ¡Qué diferentes!

▶ **Relaciona** cada imagen con una oración.

 A

 B

 C

 D

 E

.... 1. ¡Me encanta ir a la peluquería!

.... 2. Ellos están estudiando en la sala de computación.

.... 3. El huésped habla con la recepcionista del hotel.

.... 4. El policía le pone una multa al conductor.

.... 5. Los pasajeros esperan en el andén.

2 Intrusos

▶ **Elige** la palabra que no pertenece a cada grupo.

.... 1. a. sacar dinero   b. pasear   c. hacer picnic   d. dibujar

.... 2. a. el cirujano   b. la mecánica   c. el gimnasio   d. el socorrista

.... 3. a. la llave   b. la percha   c. la recepcionista   d. la toalla

.... 4. a. el freno   b. el cuadro   c. las cortinas   d. el espejo

.... 5. a. sincero   b. pelirrojo   c. optimista   d. espontáneo

3 Adverbios

▶ **Relaciona** cada oración con el adverbio correcto.

Ⓐ   Ⓑ

_____ 1. Los estudiantes harán la tarea sin ningún problema.   a. cuidadosamente

_____ 2. Rebeca abrió el regalo sin romper el papel.   b. fácilmente

_____ 3. La abuela los recibió con una gran sonrisa.   c. frecuentemente

_____ 4. Daniel leyó la novela completa en tres horas.   d. alegremente

_____ 5. Pilar llamaba a su hija cada dos días.   e. rápidamente

4 Verbos

▶ **Elige** la forma verbal correcta para completar cada oración.

1. Juan Miguel corre rapidísimo. _____ el mejor atleta de su equipo.

   a. Era   c. Fue
   b. Será   d. Es

2. No entiendo esta carta porque está muy mal _____.

   a. escribida   c. escricta
   b. escrita   d. escricha

3. Alberto, no _____ muy alto porque el niño está durmiendo.

   a. hablar   c. hables
   b. habla   d. hablas

4. Mi madre quiere que yo _____ para ser arquitecto.

   a. estudio   c. estudiar
   b. estudie   d. estudiaré

5. En unos meses, él _____ miembro del equipo.

   a. va a ser   c. es
   b. era   d. fue

Nombre: _____ Clase: _____ Fecha: _____

Examen preliminar

Cultura

5 **¿Recuerdas?**

▶ **Escribe** dos elementos culturales que recuerdes de cada región.

Centroamérica
Las Antillas
Andes centrales
Norteamérica
España
Caribe continental
Río de la Plata

Escuchar

6 **Un minuto para la salud**

▶ **Escucha** el programa de radio y completa las oraciones.

1. El programa de radio de la doctora Sánchez se llama *Un minuto*

   para _____ .

2. En primavera algunas personas tienen catarro o _____ .

3. Las personas con catarro deben beber mucha agua, descansar y tomar

   _____ para la tos.

4. Según la doctora, si alguien _____ mucho y tiene picor de ojos,
   puede tener alergia.

5. Para una buena higiene personal, es importante lavarse _____
   con frecuencia y no compartir objetos de uso personal.

Hablar

7 **Me siento bien**

▶ **Habla.** Responde a las preguntas que te plantee tu profesor(a).

	COMMUNICATION	GRAMMAR	VOCABULARY	CONTENT
5	Communication entirely comprehensible; no errors in the message.	No grammatical errors noted.	Wide variety of accurate vocabulary with no errors in expression.	Expanded content relevant; responds completely to the task.
4	Communication comprehensible; message understood.	A few errors in grammar, but not significant to communication.	Accurate vocabulary; adequate for expression.	Content contains some relevant information to the task.
3	Communication almost comprehensible; message somewhat clear.	Several errors in grammar.	Limited vocabulary; several errors in expression.	Limited content. Some information provided with a few details.
1	Not enough communication provided.	Significant errors in grammar structures.	Extremely limited vocabulary inhibits expression.	Limited content. No information provided.

Total _____ / 20

8

Nombre: .... Clase: .... Fecha: ....

Examen preliminar

Leer

8 **Un viaje a Perú**

▶ **Lee** el correo electrónico de Teresa. Después, decide si las oraciones son ciertas (C) o falsas (F).

| Para: | Rita |
| Asunto: | Vacaciones |

Querida Rita:

Te escribo para proponerte una cosa: ¿quieres venir conmigo a Perú el próximo verano? Mañana voy a ir a una agencia de viajes para ver folletos turísticos y preguntarle mis dudas al agente de viajes. ¿Tú crees que es mejor ir en avión o en barco? Yo creo que es mejor ir en avión. También tengo que preguntar qué medios de transporte existen en las ciudades principales y en los pueblos. Y no sé si es fácil conseguir alojamiento en un hotel al llegar allí o será mejor hacer una reserva por Internet. Como ves, ¡tengo muchas preguntas!

Es mi primer viaje a un país de Suramérica, ¡qué nervios! Mi padrino estuvo en Lima hace algunos años y dice que hay muchos museos allí, ¡y que la comida peruana es deliciosa! Yo quiero ir a las tiendas de bisutería y a los mercados de artesanía. Antes del viaje, voy a comprarme unas botas de cuero para hacer senderismo en los Andes.

¿Qué te parece el plan? Espero tu respuesta.

Un abrazo.

Teresa

1. Teresa quiere ir a Perú el próximo verano.   C   F

2. Teresa prefiere viajar en avión.   C   F

3. En Lima hay pocos museos.   C   F

4. Teresa no quiere hacer senderismo.   C   F

5. Teresa quiere ir de compras a una papelería.   C   F

9 **Tus cosas**

▶ **Escribe.** Responde a estas preguntas.

1. ¿Qué espectáculos te gustan?

_____

_____

_____

_____

2. ¿Cómo es el clima en tu ciudad?

_____

_____

_____

_____

3. ¿Por qué es importante hacer ejercicio? ¿Prácticas algún deporte?
   ¿Con qué frecuencia?

_____

_____

_____

_____

4. ¿Adónde irás en tus próximas vacaciones?

_____

_____

_____

_____

5. ¿Cómo es tu mejor amigo(a)?

_____

_____

_____

_____

Nombre: _____ **Clase:** _____ **Fecha:** _____

Prueba: Contar hechos actuales (págs. 2–3)

Gramática

1 En presente

▶ **Elige** la forma verbal correcta para completar cada oración.

1. Nosotros _____ a la escuela todos los días.
   - a. ir
   - b. van
   - c. vamos
   - d. voy

2. Carlos está siempre muy cansado porque _____ todo el día.
   - a. estudiando
   - b. estudio
   - c. estudia
   - d. estudiar

3. Rafael y Eloísa _____ su casa los sábados por la mañana.
   - a. limpian
   - b. limpia
   - c. limpiamos
   - d. limpiando

4. Tú _____ que pasar por la plaza para llegar al banco.
   - a. teniendo
   - b. tenemos
   - c. estás teniendo
   - d. tienes

5. Yo _____ en hablar con el director.
   - a. insiste
   - b. insisto
   - c. insistimos
   - d. insistiendo

2 Yo, tú, él

▶ **Relaciona** y forma oraciones lógicas.

A	B
_____ 1. Nos gusta el verano porque	a. tienen los mismos apellidos.
_____ 2. Ernesto	b. almuerzo en casa.
_____ 3. Jorge y tú	c. juegas al baloncesto.
_____ 4. Yo siempre	d. toca la guitarra.
_____ 5. Tú	e. podemos tomar el sol.

3 **Estamos estudiando**

▶ **Completa** las oraciones con los verbos en presente continuo.

1. Yo le _____ una carta a mi amiga Sofía.
                (escribir)

2. Nosotros _____ al fútbol.
                (jugar)

3. Tú _____ la tarea de Español.
       (hacer)

4. Luis Miguel _____ una ensalada.
                (preparar)

5. Ellos _____ con la profesora.
      (hablar)

4 **Preguntas**

▶ **Responde** a estas preguntas.

1. ¿Qué estás haciendo ahora?

_____

2. ¿Qué hacen tus amigos en verano?

_____

_____

3. ¿Qué está leyendo tu mejor amigo(a)?

_____

_____

4. ¿Qué haces por las tardes?

_____

_____

5. ¿Qué está haciendo tu profesor(a) en este momento?

_____

_____

UNIDAD
PRELIMINAR

Nombre: .... **Clase:** .... **Fecha:** ....

Prueba: Contar hechos pasados (págs. 4–7)

Gramática

1 Ya pasó

▶ **Relaciona** y forma oraciones lógicas.

Ⓐ Ⓑ

_____ 1. La semana pasada los estudiantes   a. revisó esos documentos.

_____ 2. No entiendo por qué tú   b. visitaron el museo.

_____ 3. Estoy cansado porque ayer   c. no limpiaste la habitación.

_____ 4. Estoy segura de que Elisa   d. almorzamos aquí.

_____ 5. Sí, ese día nosotros   e. trabajé mucho.

2 Del ayer

▶ **Elige** la forma verbal correcta para completar cada oración.

1. Tú _____ a mi familia hace dos años.

   a. conocen   c. conozco

   b. conoce   d. conociste

2. El año pasado, mis hermanos y yo _____ a Buenos Aires.

   a. viajan   c. viajé

   b. viajamos   d. viajo

3. Nuestra profesora de Inglés _____ a Londres el verano pasado.

   a. regresó   c. regresa

   b. regresamos   d. regreso

4. Ayer ellas _____ con la profesora sobre el examen de Español.

   a. hablan   c. hablaste

   b. hablaron   d. habla

5. Me _____ una bicicleta nueva el martes pasado.

   a. compro   c. compraré

   b. compran   d. compré

3 **Verbos irregulares**

▶ **Completa** las oraciones con los verbos en pretérito.

1. Nosotros _____ un examen de Español ayer.
   (tener)

2. Tú _____ a visitarnos el año pasado.
   (venir)

3. Yo _____ en su casa el sábado.
   (estar)

4. Anoche mis padres _____ una pizza
   para cenar.   (pedir)

5. Andrea me _____ que Antigua es una ciudad muy bonita.
   (decir)

4 **¿Qué sucedió?**

▶ **Elige** la forma verbal correcta para completar cada oración.

1. Maribel _____ a visitarnos anoche.

   a. viene   c. veno

   b. vino   d. venió

2. Tú _____ muy bien los exámenes de Historia y Matemáticas
   que tuvimos ayer.

   a. haciste   c. hació

   b. hijiste   d. hiciste

3. Mi papá me _____ una caja de chocolates el sábado
   pasado. ¡Están deliciosos!

   a. trajo   c. traje

   b. trae   d. traerá

4. Felipe _____ una estantería en su habitación.

   a. puse   c. ponió

   b. pones   d. puso

5. Estamos cansados porque anoche no _____ bien.

   a. durmimos   c. dormimos

   b. durmieron   d. duermimos

Nombre: .... **Clase:** .... **Fecha:** ....

Prueba: Dar órdenes e instrucciones (págs. 8–9)

Gramática

1 **¡Piensa!**

▶ **Elige** el mandato correcto para completar cada oración.

1. No puedes esperar a mañana, Javier. _____ tu tarea hoy.
   a. Haces   c. Haz
   b. Hice   d. Estás haciendo

2. Las mentiras no son buenas, Norma. _____ la verdad.
   a. Di   c. Dijiste
   b. Dices   d. Dice

3. Marisa, _____ a la cocina, por favor.
   a. vienes   c. estás viniendo
   b. ven   d. vine

4. No llore, señora Díaz. _____, se va a sentir mejor.
   a. Sonríes   c. Sonríe
   b. Sonreír   d. Sonría

5. Chicos, tienen que terminar hoy. _____ más rápido, por favor.
   a. Escriben   c. Escriban
   b. Escribir   d. Están escribiendo

2 **Mandatos**

▶ **Completa** las oraciones con el imperativo afirmativo de los verbos entre paréntesis.

1. Chicas, _____ frutas y verduras.
   (comer)

2. Señor López, _____ más ejercicio.
   (hacer)

3. Señoras, _____ a la biblioteca.
   (ir)

4. Elena, _____ a pasear por la tarde.
   (salir)

5. _____ un hombre honesto, Juan.
   (ser)

3 Consejos

▶ **Escribe** consejos para estas personas.

Patricia

1. _____

Darío

2. _____

Isabel y Miriam

3. _____

Sabrina y Ricardo

4. _____

Juan

5. _____

Nombre: ....   **Clase:** ....   **Fecha:** ....

Prueba: Hacer preguntas (págs. 10–11)

Gramática

1 Interrogativos

▶ **Relaciona** y forma preguntas.

Ⓐ

_____ 1. ¿Quién

_____ 2. ¿Dónde

_____ 3. ¿Cómo

_____ 4. ¿Qué

_____ 5. ¿Cuántas personas

Ⓑ

a. asistieron a la conferencia?

b. te sientes?

c. estudia alemán?

d. está la Estación Central?

e. prefieren hacer hoy?

2 ¡Cuántas preguntas!

▶ **Elige** la pregunta apropiada para cada respuesta.

_____ 1. Quiero un refresco de limón.

    a. ¿Cuáles quieres?   c. ¿Cómo?

    b. ¿Qué quieres?   d. ¿Por qué quieres?

_____ 2. Es mi amiga Verónica Pimentel.

    a. ¿Dónde es?   c. ¿Quién es?

    b. ¿Qué es?   d. ¿Cómo es?

_____ 3. Sara habla cuatro idiomas.

    a. ¿Cuánto idiomas habla Sara?   c. ¿Qué idiomas habla Sara?

    b. ¿Cuántos idiomas habla Sara?   d. ¿Cuáles idiomas habla Sara?

_____ 4. En vacaciones vamos a las montañas.

    a. ¿Quién va?   c. ¿Cuántos van?

    b. ¿Por qué van?   d. ¿Adónde van?

_____ 5. Los proyectos relacionados con el medio ambiente son los ganadores.

    a. ¿Cuáles son los ganadores?   c. ¿Qué son los ganadores?

    b. ¿Cómo son los ganadores?   d. ¿Por qué son los ganadores?

3 **¿Qué falta?**

▶ **Completa** las preguntas con los interrogativos del recuadro.

a. Quiénes	b. Cuánto	c. Quién	d. De dónde	e. Por qué
f. Cuál	g. Qué	h. Cómo	i. Adónde	j. Cuándo

1. ¿_____ es tu cumpleaños?

2. ¿_____ es el padre de Silvia?

3. ¿_____ se llama tu hermana?

4. ¿_____ es tan caro este queso?

5. ¿_____ tiempo necesitas?

6. ¿_____ son las galletas que me regalaste?

7. ¿_____ van los estudiantes esta tarde?

8. ¿_____ son los tres estudiantes ganadores?

9. ¿_____ de estos vestidos prefieres?

10. ¿_____ clase te gusta más?

4 **¿Cuál es la pregunta?**

▶ **Escribe** la pregunta apropiada para cada respuesta.

1. Rodrigo y Alejandro van a la biblioteca.

_____

2. El profesor de Español es de Guatemala.

_____

3. Hay cinco libros de Historia encima de la mesa.

_____

4. Mi deporte favorito es la natación.

_____

5. Las clases de Química terminan el 3 de mayo.

_____

Nombre: _____ **Clase:** _____ **Fecha:** _____

Examen: Unidad preliminar. Un paso más (págs. 1–11)

Gramática

1 **¿Qué hacen?**

▶ **Completa** las oraciones con los verbos en presente.

1. Yo _____ a Buenos Aires todos los veranos.
   (ir)

2. Mi escuela _____ cerca de mi casa.
   (estar)

3. Delia y su hermano _____ la tarea temprano.
   (hacer)

4. Miguel y yo _____ al fútbol los martes por la tarde.
   (jugar)

5. Tú siempre _____ un helado de chocolate.
   (pedir)

2 **Estamos aprendiendo**

▶ **Elige** la forma verbal correcta para completar cada oración.

1. Mi familia _____ el cumpleaños de mi abuelo.
   a. están celebrando   c. está celebrando
   b. estoy celebrando   d. estamos celebrando

2. Yo _____ a manejar el coche de mi padre.
   a. estoy aprendiendo   c. están aprendiendo
   b. estamos aprendiendo   d. estás aprendiendo

3. Ramiro _____ a limpiar el jardín.
   a. estoy ayudando   c. está ayudando
   b. estás ayudando   d. estamos ayudando

4. Nosotros _____ para el examen de Español.
   a. estás estudiando   c. estoy estudiando
   b. están estudiando   d. estamos estudiando

5. Los chicos _____ una película cómica en el cine.
   a. estamos viendo   c. estoy viendo
   b. están viendo   d. estás viendo

3 **¿Qué pasó?**

▶ **Relaciona** y forma oraciones lógicas.

Ⓐ   Ⓑ

_____ 1. Melinda   a. no pudiste sacar la licencia de conducir.

_____ 2. Yo   b. quisimos subir la montaña.

_____ 3. Carla y Eva   c. preparó una ensalada para almorzar.

_____ 4. Tú   d. no supe nada del accidente.

_____ 5. Mis hermanos y yo   e. trajeron refrescos para la fiesta.

4 **Hazlo**

▶ **Completa** las oraciones con el imperativo afirmativo de los verbos entre paréntesis.

1. _____ con tu equipo todos los días, Raúl.
    (practicar)

2. _____ los dulces en aquella tienda, Cecilia.
    (comprar)

3. _____ la lista aquí, señora Dávila.
    (poner)

4. _____ temprano, chicos.
    (regresar)

5. _____ ustedes el tren a Valencia.
    (tomar)

5 **¿Cómo?**

▶ **Elige** el interrogativo apropiado para completar cada pregunta.

| a. Cuántas | b. Cuál | c. Dónde | d. Cómo | e. Por qué |

1. ¿_____ están tus libros nuevos?

2. ¿_____ preparaste la torta de manzana?

3. ¿_____ es el cuadro que pintó tu tío Ramón?

4. ¿_____ quieres comer en este restaurante?

5. ¿_____ personas van al concierto?

Nombre: .... **Clase:** .... **Fecha:** ....

Examen: Unidad preliminar. Un paso más (págs. 1–11)

Escuchar

6 **La fiesta de Elena**

▶ **Escucha** la conversación y decide si estas afirmaciones son ciertas (C) o falsas (F).

1. Ayer Carla tuvo que estudiar para un examen.	C	F
2. Daniel le regaló flores a Carla.	C	F
3. En la fiesta, un chico estaba bailando y rompió una estantería.	C	F
4. Los padres de Elena no estuvieron en casa durante la fiesta.	C	F
5. Hoy Elena está contenta.	C	F

Hablar

7 **Tu cumpleaños**

▶ **Habla** sobre el tema o la situación que te plantee tu profesor(a).

	COMMUNICATION	GRAMMAR	VOCABULARY	CONTENT
5	Communication entirely comprehensible; no errors in the message.	No grammatical errors noted.	Wide variety of accurate vocabulary with no errors in expression.	Expanded content relevant; responds completely to the task.
4	Communication comprehensible; message understood.	A few errors in grammar, but not significant to communication.	Accurate vocabulary; adequate for expression.	Content contains some relevant information to the task.
3	Communication almost comprehensible; message somewhat clear.	Several errors in grammar.	Limited vocabulary; several errors in expression.	Limited content. Some information provided with a few details.
1	Not enough communication provided.	Significant errors in grammar structures.	Extremely limited vocabulary inhibits expression.	Limited content. No information provided.

Total _____ / 20

8 ¡Vaya semana!

▶ **Lee** el texto y completa las oraciones.

Una semana muy completa

Me llamo Alberto. Durante la semana tengo mucho que hacer porque estudio y trabajo al mismo tiempo. Además, mis amigos y yo tenemos un grupo de música y ensayamos todos los lunes.

La semana pasada estuve especialmente ocupado. El lunes ensayé con mi grupo hasta las once de la noche. El martes estaba muy cansado porque no dormí lo suficiente. El miércoles fui a visitar a mis abuelos y luego tuve que estudiar. El jueves por la mañana tuve un examen y por la tarde fui al cine con mis padres. El viernes por la noche vinieron mis amigos Pablo y César a cenar a mi casa. El sábado por la mañana estuve estudiando y por la tarde fui a jugar al fútbol con mis amigos. Y el domingo pude descansar y ver la televisión con mi familia. ¡Qué semana!

1. Alberto _____ y trabaja al mismo tiempo.

2. Alberto ensaya con su grupo de música _____.

3. El jueves por la tarde Alberto fue _____.

4. Pablo y César _____ en casa de Alberto el viernes.

5. El domingo Alberto pudo _____.

9 El fin de semana pasado

▶ **Escribe** cinco actividades que hiciste el fin de semana pasado. Escribe cuándo y con quién las hiciste.

_____

_____

_____

_____

_____

    Assessments Blackline Master Español Santillana. ® Santillana USA

Nombre: .... Clase: .... Fecha: ....

Prueba: Desafío 1 (págs. 18–29)

Vocabulario

1 **Descripciones**

▶ **Relaciona** cada imagen con una oración.

_____ 1. Carlos está guapo con su bigote.

_____ 2. Tengo el pelo lacio, no rizado.

_____ 3. ¡Qué ojos tan grandes y almendrados!

_____ 4. El señor Domínguez es calvo.

_____ 5. La profesora es inteligente y segura de sí misma.

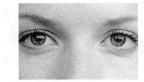

2 **¿Cómo son?**

▶ **Elige** la descripción apropiada para cada oración.

1. Marta solo piensa en sí misma.
   a. Es amistosa.   b. Es bondadosa.   c. Es chismosa.   d. Es egoísta.

2. Juan tiene muchos amigos.
   a. Es chismoso.   b. Es egoísta.   c. Es amistoso.   d. Es apuesto.

3. Estrella es tímida.
   a. Es traviesa.   b. Es calva.   c. Es reservada.   d. Es risueña.

4. Regina siempre ayuda a los demás.
   a. Es chismosa.   b. Es bondadosa.   c. Es egoísta.   d. Es tímida.

5. Paco es bastante guapo.
   a. Es risueño.   b. Es reservado.   c. Es fiel.   d. Es apuesto.

3 **Más que, menos que...**

▶ **Elige** la conclusión más lógica para cada oración.

_____ 1. Ángel mide 1,70 metros y Ramiro mide 1,78.

    a. Ángel es igual de alto que Ramiro.   c. Ángel es más alto que Ramiro.

    b. Ramiro es más alto que Ángel.   d. Ramiro es tan alto como Ángel.

_____ 2. Yo tengo 14 años y mi hermana tiene 16.

    a. Mi hermana es menor que yo.   c. Yo soy mayor que mi hermana.

    b. Yo soy menor que mi hermana.   d. Mi hermana no es mayor que yo.

_____ 3. Mi papá trabaja ocho horas y mi mamá trabaja nueve.

    a. Mi papá trabaja más que mi mamá.

    b. Mi papá trabaja tanto como mi mamá.

    c. Mi mamá trabaja menos que mi papá.

    d. Mi papá trabaja menos que mi mamá.

_____ 4. Javier tuvo una C en el examen y Rafael tuvo una A.

    a. Rafael tuvo mejor nota que Javier.

    b. Rafael tuvo peor nota que Javier.

    c. Javier tuvo mejor nota que Rafael.

    d. La nota de Javier es mejor.

_____ 5. Madrid y París son dos ciudades con mucha historia y muchos monumentos.

    a. Madrid es más interesante que París.

    b. París es menos interesante que Madrid.

    c. Madrid es tan interesante como París.

    d. París es más interesante que Madrid.

4 **Ser y estar**

▶ **Completa** las oraciones con la forma correcta de _ser_ o _estar_.

1. Mi madre _____ profesora de Inglés.

2. Terminé la tarea, pero creo que no _____ bien.

3. ¡Ya es tarde! _____ las diez de la noche.

4. Mis libros no _____ aquí.

5. Su mejor amiga _____ dominicana.

Prueba: Desafío 2 (págs. 30–41)

Vocabulario

1 **Relaciones familiares**

▶ **Elige** la opción apropiada para completar cada oración.

1. Julieta es la cuñada de Matías. Ella está _____ con su hermano.
   - a. divorciada
   - b. casada
   - c. separada
   - d. enojada

2. Antonia ya no está casada con Samuel. Ellos están _____.
   - a. prometidos
   - b. casados
   - c. separados
   - d. viudos

3. Elena es mi madrina. Yo soy su _____.
   - a. ahijada
   - b. nieta
   - c. hija adoptiva
   - d. nuera

4. El padre de mi madre es mi _____.
   - a. abuelo paterno
   - b. abuelo materno
   - c. padrino
   - d. familia política

5. La familia del esposo de mi prima es su _____.
   - a. familia adoptiva
   - b. familia política
   - c. familia materna
   - d. familia paterna

2 **Mi familia**

▶ **Completa** las oraciones con las palabras del recuadro.

| a. pareja | b. hermanastra | c. cuñado | d. yerno | e. abuelo materno |

1. El esposo de mi hermana es mi _____.

2. El padre de mi madre es mi _____.

3. Luisa y Gilberto son novios. Ellos son una _____.

4. Mi _____ es hija de mi mamá y de mi padrastro.

5. Mi esposo es el _____ de mi madre.

Gramática

3 De niño

▶ **Relaciona** y forma oraciones lógicas.

Ⓐ	Ⓑ
_____ 1. Antes de estudiar aquí, ustedes	a. llegabas el primero a la escuela.
_____ 2. De niño, tú siempre	b. vivía en el campo.
_____ 3. Todas las tardes mi abuela y yo	c. eran enormes.
_____ 4. Cuando era pequeño, mi papá	d. estudiaban en Santiago.
_____ 5. En 1992 los teléfonos celulares	e. salíamos a caminar.

4 Tuyo, nuestro

▶ **Elige** el posesivo correcto para completar cada oración.

1. Lina tiene trescientos discos. Todos _____ discos son de música clásica.

   a. mis   b. sus   c. tus   d. nuestros

2. Tengo dos hermanos. _____ hermano Agustín es el mayor.

   a. Tu   b. Nuestra   c. Mi   d. Su

3. Ellas van a ir a la playa, pero Enrique y yo no. _____ planes son distintos.

   a. Mi   b. Nuestros   c. Tu   d. Nuestro

4. Mamá está muy contenta. _____ mejor amiga va a venir a visitarla.

   a. Nuestras   b. Tu   c. Su   d. Sus

5. Tienes que hacer algo, Miguel. _____ perro ladra mucho por las noches.

   a. Sus   b. Tu   c. Nuestros   d. Su

5 Antes y ahora

▶ **Completa** las oraciones con los verbos en imperfecto.

1. Ahora vivo con mi hermano, pero antes _____ solo.
   (vivir)

2. De jóvenes, tu mamá y yo _____ mucho.
   (viajar)

3. Mientras ella _____, yo fui a la tienda.
   (leer)

4. Él y yo _____ películas casi todos los días durante el verano.
   (ver)

5. Yo sabía que tú _____ al gimnasio por las tardes.
   (ir)

 Assessments Blackline Master Español Santillana. ® Santillana USA

Nombre: _____   **Clase:** _____   **Fecha:** _____

Prueba: Desafío 3 (págs. 42–53)

1 Celebraciones

▶ **Relaciona** las imágenes con las palabras correctas.

_____ 1. el aniversario

_____ 2. el bautizo

_____ 3. la jubilación

_____ 4. la graduación

_____ 5. el matrimonio

2 Una vida al piano

▶ **Completa** el texto con las palabras del recuadro.

a. adolescencia	b. juventud	c. infancia	d. vejez	e. madurez

El pianista Pedro Langa

Pedro fue un niño muy tranquilo durante su (1) _____. Comenzó
a tocar el piano en su (2) _____, a la edad de 13 años. Entonces
entró en la escuela de música de su ciudad. Se graduó a los 20 años y
durante su (3) _____ se dedicó a tocar el piano por diferentes
ciudades. Ya en su (4) _____ se casó con la pianista Teresa
Alegría y juntos abrieron una escuela de música para niños. Ahora,
en su (5) _____, continúa dando conciertos en su ciudad.

3 Cosas de familia

▶ **Elige** la forma verbal correcta para completar cada oración.

1. Yo tenía nueve años cuando _____ mi hermano.
   a. nace   c. nacía
   b. estaba naciendo   d. nació

2. Mis abuelos _____ hace cincuenta años.
   a. se casaban   c. se casaron
   b. se estaban casando   d. se están casando

3. Nuestros padres _____ desde la infancia.
   a. se conocían   c. se estaban conociendo
   b. se conocieron   d. se van a conocer

4. La última vez que _____ en una graduación fue en la mía.
   a. estabas   c. estuviste
   b. estabas estando   d. estás

5. Supe que era hijo adoptivo cuando _____ seis años.
   a. tuve   c. tenía
   b. tengo   d. tuvo

4 En el pasado

▶ **Completa** las oraciones con los verbos en pretérito o en imperfecto.

1. Yo ya _____ leer cuando comencé a ir a la escuela.
   (saber)

2. Cuando _____ la leyenda,
   (leer)
   hacía un año que vivía en Perú.

3. Cuando mi padre era joven,

   _____ al fútbol con frecuencia.
   (jugar)

4. Ayer estaba en el parque con Sara

   cuando _____ a llover.
   (comenzar)

5. Hace tres años que yo _____ a México por primera vez.
   (viajar)

Prueba: Desafíos 1–3 (págs. 18–53)

Vocabulario

1 Personas

▶ **Elige** la opción apropiada para completar cada oración.

1. Hace veinte años que mis padres se casaron. Hoy celebramos su _____.
   - a. bautizo
   - b. aniversario
   - c. jubilación
   - d. graduación

2. Alina tiene _____ en el brazo.
   - a. una barba
   - b. un bigote
   - c. un lunar
   - d. un prometido

3. Gregorio es muy _____, siempre dice «gracias».
   - a. cortés
   - b. amistoso
   - c. bondadoso
   - d. travieso

4. Mis abuelos paternos son los _____ de mi mamá.
   - a. padres
   - b. yernos
   - c. cuñados
   - d. suegros

5. Mi padre se casó otra vez y ahora tengo un _____.
   - a. yerno
   - b. hermanastro
   - c. ahijado
   - d. cuñado

2 Rasgos y cualidades

▶ **Completa** las oraciones con las palabras del recuadro.

a. fiel	b. rizado	c. tímida	d. cariñosa	e. almendrados

1. Ese actor tiene los ojos azules y el pelo _____.

2. Mi hermanastra es amable y _____ conmigo.

3. Dicen que el perro es un animal muy _____.

4. El hermano de Jimena tiene los ojos _____.

5. Julia no hablaba mucho de niña. Era un poco _____.

Gramática

3 En familia

▶ **Relaciona** y forma oraciones lógicas.

Ⓐ

_____ 1. Cuando mi tío era soltero

_____ 2. No terminaste el trabajo porque

_____ 3. Mis abuelos paternos

_____ 4. De pequeños, mis hermanos y yo

_____ 5. Tu primo y tú siempre

Ⓑ

a. eran guatemaltecos.

b. leíamos tiras cómicas.

c. ganaban las carreras.

d. trabajaba en una pastelería.

e. estabas enfermo.

4 Facilísimo

▶ **Completa** las oraciones con el superlativo de los adjetivos entre paréntesis.

1. A esa artista la conocen en todo el mundo. Ella es _____.
   (famoso)

2. Esas gafas de sol cuestan 400 dólares. Son _____.
   (caro)

3. Mi ahijado es el chico más lindo del mundo. Es _____.
   (guapo)

4. Ellos vieron un documental _____ sobre el medio ambiente.
   (interesante)

5. Mi cuñada y yo nos reímos mucho con los chicos. Son _____.
   (divertido)

5 ¿Cómo están?

▶ **Completa** las oraciones con la forma correcta de *ser* o *estar*.

1. Gabriela _____ prometida. Se va a casar con su novio el próximo mes de junio.

2. Manuel y Antonio trabajaron mucho hoy y ahora _____ cansados.

3. El hijo menor de Raúl y Carmen mide casi dos metros. _____ el más alto de su escuela.

4. Mis tíos casi nunca hablan con nadie porque _____ muy reservados.

5. José Luis está visitando a sus amigos. Él _____ contento.

Nombre: .... Clase: .... Fecha: ....

Examen: Unidad 1. ¿Cómo eres? (págs. 12–65)

1 Distintas personas

▶ **Relaciona** cada imagen con una oración.

_____ 1. Ayer fuimos a la boda de Juliana y Marcelo.

_____ 2. Sofía y Alberto están prometidos.

_____ 3. Yo no me parezco a mi hermanastro.

_____ 4. Manuela está embarazada. Yo voy a ser
 la madrina de su hijo.

_____ 5. Felipe tiene una cicatriz en la cara.

2 Oraciones incompletas

▶ **Completa** las oraciones con las palabras del recuadro.

1. Los novios fueron a la iglesia para _____.

2. Mi amiga tiene varios _____ en la cara.

3. La _____ es una etapa muy importante
 de la vida.

4. Rita tiene el pelo largo y _____.

5. La _____ de mi hermana mayor es
 muy bondadosa.

a. lunares
b. suegra
c. adolescencia
d. castaño
e. casarse

3 **Antiguas costumbres**

▶ **Elige** la forma verbal correcta para completar cada oración.

1. Cuando teníamos tiempo, ella y yo _____ por la playa.
   a. caminó   b. caminé   c. caminamos   d. caminábamos

2. Hacía mucho tiempo que ellos no _____ juntos.
   a. trabajaron   b. trabajó   c. trabajan   d. trabajaban

3. Cuando ella llegó de la fiesta, _____ muy contenta.
   a. era   b. estaba   c. soy   d. eras

4. De pequeños, todos nosotros _____ ser bomberos.
   a. queramos   b. quiero   c. queríamos   d. querían

5. Hace veinte años que mis padres _____ .
   a. se casaban   b. se casaron   c. nos casaron   d. se están casando

4 **En pasado continuo**

▶ **Completa** las oraciones con los verbos en pasado continuo.

1. Roberto _____ un libro en la biblioteca.
   (leer)

2. El doctor me _____ algunas preguntas cuando entró
   (hacer)
   la enfermera.

3. Su padre _____ en la cocina cuando ella llegó.
   (trabajar)

4. Toda la familia _____ la televisión cuando llamé.
   (ver)

5. Yo no sé lo que _____ en ese momento.
   (pensar)

6. Los niños _____ cuando los vi.
   (jugar)

7. El abuelo nos _____ historias de su juventud.
   (contar)

8. No te contesté al teléfono porque _____ .
   (dormir)

9. Esta mañana, las profesoras _____ el festival
   (preparar)
   de la escuela.

10. Mi mujer _____ por Suramérica cuando nos conocimos.
    (viajar)

Nombre: .... **Clase:** .... **Fecha:** ....

Examen: Unidad 1. ¿Cómo eres? (págs. 12–65)

Cultura

5 **En Latinoamérica**

▶ **Elige** la opción correcta para completar cada afirmación.

1. En la antigüedad, Latinoamérica estaba habitada por distintos pueblos _____.
   a. españoles   b. indígenas   c. peruanos

2. La civilización _____ era muy avanzada.
   a. maya   b. mestiza   c. inmigrante

3. La emigración española a Latinoamérica comenzó en _____.
   a. 1512   b. 1490   c. 1492

4. La cultura _____ tuvo gran influencia en la música latina.
   a. inca   b. africana   c. azteca

5. La mayoría de los inmigrantes a Latinoamérica procedía de España, _____ y Francia.
   a. Portugal   b. Italia   c. Asia

6 **Más sobre Latinoamérica**

▶ **Responde** a estas preguntas.

1. ¿Quién escribió *Don Quijote de la Mancha*?

   _____

2. ¿Qué son las leyendas?

   _____

3. ¿Por qué podemos encontrar rasgos asiáticos en los habitantes de Perú?

   _____

4. ¿Quién es Esmeralda Santiago?

   _____

5. ¿Quién fue Francisco de Goya?

   _____

7 Un amigo fiel

▶ **Escucha** cómo era la amistad entre don Quijote y Sancho Panza. Después, decide si estas afirmaciones son ciertas (C) o falsas (F).

1. En algunas novelas se trata la importancia de la amistad.	C	F
2. Don Quijote necesitaba un compañero de aventuras.	C	F
3. Sancho Panza era alto y bondadoso.	C	F
4. Don Quijote era tan gordo como Sancho Panza.	C	F
5. Sancho Panza era un amigo fiel.	C	F

Hablar

8 Tu gente, tu vida

▶ **Habla.** Responde a las preguntas que te plantee tu profesor(a).

	COMMUNICATION	GRAMMAR	VOCABULARY	CONTENT
5	Communication entirely comprehensible; no errors in the message.	No grammatical errors noted.	Wide variety of accurate vocabulary with no errors in expression.	Expanded content relevant; responds completely to the task.
4	Communication comprehensible; message understood.	A few errors in grammar, but not significant to communication.	Accurate vocabulary; adequate for expression.	Content contains some relevant information to the task.
3	Communication almost comprehensible; message somewhat clear.	Several errors in grammar.	Limited vocabulary; several errors in expression.	Limited content. Some information provided with a few details.
1	Not enough communication provided.	Significant errors in grammar structures.	Extremely limited vocabulary inhibits expression.	Limited content. No information provided.

Total _____ / 20

Nombre: _____ **Clase:** _____ **Fecha:** _____

Examen: Unidad 1. ¿Cómo eres? (págs. 12–65)

Leer

9 El abuelo Ramiro

▶ **Lee** la carta que escribe Ramiro a su nieto Luis. Después, elige la opción apropiada para completar cada oración.

> Querido nieto:
>
> ¿Cómo estás? Espero que bien y estudiando mucho en la escuela. La última vez que te vi me dijiste que querías saber cosas de mi vida. Voy a contarte cómo fueron mi niñez y mi juventud en San Sebastián.
>
> Yo nací el 6 de diciembre de 1940. Mis padres no tuvieron más hijos. Cuando tenía cinco años, mi madre murió. Mi padre se volvió a casar. Después nacieron mis dos hermanastros. Mi madrastra era una mujer risueña, amable y bondadosa. Yo la quería muchísimo.
>
> De niño, yo era muy guapo. Tenía el pelo rizado y castaño. Era más alto que mis hermanastros y tenía pecas. Mi padre decía que yo era muy travieso. Me encantaba jugar con mis amigos y todos los domingos íbamos al cine.
>
> En San Sebastián se celebró mi bautizo y también mi graduación. Allí conocí a tu abuela y nos casamos. Cuando llevábamos dos años casados, nació tu padre. Recuerdo muy bien el día de su nacimiento.
>
> Ven pronto a visitarnos. Tu abuela y yo te extrañamos mucho.
>
> Te quiero.
>
> Tu abuelo Ramiro

1. Ramiro vivió en San Sebastián durante su _____.

   a. infancia   b. jubilación   c. madurez

2. Ramiro no tuvo _____.

   a. amigos   b. hermanos   c. hermanastros

3. La madrastra del abuelo de Luis era amable y _____.

   a. chismosa   b. tímida   c. bondadosa

4. De niño, Ramiro tenía el pelo castaño y _____.

   a. lunares   b. bigote   c. pecas

5. Ramiro era _____ alto que sus hermanastros.

   a. menos   b. igual de   c. más

Escribir

10 **Tu familia**

▶ **Escribe.** Responde a estas preguntas.

1. ¿Quién es el miembro más joven de tu familia? ¿Cómo es su personalidad?

_____

_____

_____

2. ¿Cuáles son las características físicas de tu abuelo paterno?

_____

_____

_____

3. ¿Qué recuerdas de tu niñez?

_____

_____

_____

4. ¿Cuál es el estado civil de tu hermano(a) mayor?

_____

_____

_____

5. ¿Dónde estuviste ayer por la tarde?

_____

_____

_____

Assessments Blackline Master Español Santillana. ® Santillana USA

Nombre: .... **Clase:** .... **Fecha:** ....

Prueba: Desafío 1 (págs. 72–83)

Vocabulario

1 **Cosas del amor y de la amistad**

▶ **Relaciona** cada palabra con su significado.

Ⓐ

_____ 1. disculparse

_____ 2. querer

_____ 3. romper

_____ 4. reconciliarse

_____ 5. perdonar

Ⓑ

a. Volver a ser amigos después de una pelea.

b. Terminar una relación.

c. Pedir perdón.

d. Sentir amor por alguien.

e. Aceptar las disculpas de alguien.

2 **Sentimientos**

▶ **Elige** la opción apropiada para completar cada oración.

1. Para tener una buena relación de pareja debes _____ tu novia.
   a. discutir con
   b. confiar en
   c. echarle la culpa a
   d. romper con

2. Mi familia siempre _____ cuando tengo problemas.
   a. celebra
   b. me pide perdón
   c. me apoya
   d. se equivoca

3. Sentí mucho _____ cuando mi mejor amigo me mintió.
   a. respeto
   b. dolor
   c. amor
   d. confianza

4. Mercedes, debes disculparte con Antonio. _____
   a. Pídele perdón.
   b. Estás celosa.
   c. Confía en él.
   d. Échale la culpa.

5. Alejandra quiere _____ con su novio porque se enamoró de otro chico.
   a. romper
   b. perdonar
   c. tener razón
   d. confiar

3 **Cosas que pasan**

▶ **Completa** las oraciones con los pronombres del recuadro.

a. la	b. lo	c. las	d. los	e. me	f. te	g. nos	h. se	i. le	j. les

1. Siempre compro flores en el mercado y se _____ regalo a mi esposa.

2. Mi novia y yo _____ queríamos mucho, pero ahora estamos separados.

3. Liza quería un coche nuevo y su padre no _____ lo quiso comprar.

4. ¿Dónde fuiste ayer? _____ estuve llamando toda la tarde.

5. Yo esperaba la invitación, pero nunca _____ recibí.

6. Manuel esperaba la llamada de su novia, pero ella no _____ llamó.

7. Normalmente, _____ maquillo en mi dormitorio.

8. Niños, hoy _____ preparé una comida especial.

9. Yo _____ di a Virginia las llaves de la casa.

10. Tengo unos poemas para ti. _____ escribí ayer.

4 **Del amor**

▶ **Elige** la opción apropiada para completar cada oración.

1. Encontré el regalo perfecto para Marisa y _____ compré.

   a. se lo   b. le   c. se la   d. la

2. Nicolás y Natalia estan casados. _____ conocieron en 1998.

   a. Les   b. Nos   c. Le   d. Se

3. Tú siempre _____ cuentas todo a tu novio.

   a. nos   b. le   c. me   d. se

4. Pamela y yo _____ escribimos correos electrónicos todas las semanas.

   a. la   b. nos   c. me   d. se

5. Él compró chocolates para _____ a su prometida.

   a. regalársela   b. regalarse   c. regalarles   d. regalárselos

Nombre: .... **Clase:** .... **Fecha:** ....

Prueba: Desafío 2 (págs. 84–95)

Vocabulario

1 **¿Quieres?**

▶ **Relaciona** cada oración con la respuesta o la continuación apropiada.

Ⓐ   Ⓑ

_____ 1. ¿Quieres un plato de pescado frito?   a. Vamos a tener una reunión.

_____ 2. Te invito a una fiesta.   b. ¡Sí, vamos a bailar!

_____ 3. ¿Quieres ir de compras esta tarde?   c. Sí, me apetece mucho.

_____ 4. Tenemos que hablar del proyecto.   d. Quiero presentárselo.

_____ 5. Señor Gómez, ¿no conoce a don Martín?   e. Lo siento, pero no puedo.

2 **Vida social**

▶ **Elige** la opción apropiada para completar cada oración o para responder a la pregunta.

1. Las fiestas de Sara y Rafael son muy buenas. Ellos son

   unos _____ excelentes.

   a. invitados   c. empleados

   b. anfitriones   d. mascotas

2. La clase comenzó a las ocho y Felicia llegó a las nueve.

   Ella llegó _____.

   a. tarde   c. temprano

   b. a tiempo   d. nunca

3. Hola, _____ Alfredo. ¿Cómo está?

   a. doña   c. don

   b. señora   d. señor

4. Mañana por la tarde tenemos _____ en la escuela.

   a. encantada   c. la llegada

   b. un anfitrión   d. una reunión

5. Tina, ¿te apetece venir a la fiesta de jubilación de mi abuelo?

   a. Permíteme.   c. Con mucho gusto.

   b. No te invito.   d. No es un plan.

3 Deseos y preferencias

▶ **Elige** la forma verbal correcta para completar cada oración.

1. Ojalá que ellos _____ los consejos de su abuela.
   - a. escucharon
   - b. escuchan
   - c. escuchen
   - d. escuchamos

2. Elisa prefiere que yo _____ con ella.
   - a. estudio
   - b. estudie
   - c. estudié
   - d. estudia

3. Deseo que ustedes _____ felices siempre.
   - a. vivieron
   - b. vivimos
   - c. viven
   - d. vivan

4. No quiero que nosotros _____ por cualquier cosa.
   - a. discutamos
   - b. discutimos
   - c. discuten
   - d. discutieron

5. La profesora desea que sus estudiantes _____ en la clase.
   - a. participaron
   - b. participan
   - c. participen
   - d. participo

4 Con se

▶ **Completa** las oraciones con la forma correcta de los verbos entre paréntesis.

1. Este perro tan travieso siempre _____ del jardín.
   (salirse)

2. Mila está preocupada porque ayer

   no _____ el poema.
   (aprenderse)

3. Carolina _____ en Chile
   (quedarse)
   todo el verano pasado.

4. Los niños _____ muy temprano
   (acostarse)
   todos los días.

5. Corran, chicos, porque el avión _____ sin nosotros.
   (irse)

Nombre: _____ **Clase:** _____ **Fecha:** _____

Prueba: Desafío 3 (págs. 96–107)

Vocabulario

1 Teléfonos

▶ **Relaciona** cada imagen con una oración.

_____ 1. Voy a enviarle un mensaje de texto a Luis.

_____ 2. Me gusta mucho mi nuevo celular.

_____ 3. En la plaza hay un teléfono público.

_____ 4. ¡No me queda batería en el celular!

_____ 5. Buenas tardes, me gustaría comprar una tarjeta telefónica.

2 Varias llamadas

▶ **Completa** las oraciones con las palabras que faltan.

> a. mensaje de texto   b. llamada perdida   c. tarjeta telefónica
> d. la llamada   e. buzón de voz

1. Cuando Catalina llegó de la tienda, su _____ estaba lleno.

2. Envía a tus amigos un _____ para quedar con ellos.

3. María llamó a Pablo pero él no estaba. Pablo tiene que devolverle _____.

4. Necesito hacer una llamada. ¿Tienes una _____, por favor?

5. Tengo una _____. No oí el teléfono.

3 En el futuro

▶ **Elige** la forma verbal correcta para completar cada oración.

1. El próximo mes, mi padre _____ de Europa.
   - a. regresaba
   - b. regresó
   - c. regresará
   - d. regrese

2. Pasado mañana mis abuelos _____ de Lima.
   - a. vengan
   - b. vinieron
   - c. venían
   - d. vendrán

3. Mañana por la noche _____ con mis amigos.
   - a. salía
   - b. saldré
   - c. salí
   - d. salgas

4. En 2015, tú terminarás tus estudios en la universidad
   y te _____ .
   - a. graduarás
   - b. gradúes
   - c. graduaste
   - d. graduabas

5. Cuando estemos de vacaciones, _____ ir a la playa.
   - a. pudimos
   - b. pueden
   - c. podremos
   - d. podíamos

4 Consejos

▶ **Escribe** consejos para estas personas. Usa *deber* o *tener que*.

1. Carmen tiene un examen de Español mañana.

   _____

2. A Leonardo le duele la cabeza.

   _____

3. Teresa y su hermana quieren mantenerse en forma.

   _____

4. Alguien llamó a Mario, pero él no oyó el teléfono.

   _____

5. Irene y yo no sabemos nadar.

   _____

Nombre: .... Clase: .... Fecha: ....

Prueba: Desafíos 1–3 (págs. 72–107)

Vocabulario

1 Diálogos incompletos

▶ **Elige** la opción apropiada para completar cada diálogo.

1. —¡Alicia! ¿Por qué estabas hablando con ese chico?
   —Sergio, no te pongas _____. David es solo un amigo.

   a. confiado   b. celoso   c. equivocado   d. enamorado

2. —Hola, Carlos. Quiero presentarte a mi tía Marcela.
   —Mucho gusto, _____ Marcela.

   a. don   b. señor   c. doña   d. señora

3. —¿Hablaste con Fernando?
   —No, él no estaba. Hablé con su mamá y le dejé _____.

   a. un recado   c. el teléfono público
   b. sin saldo   d. marcar un número

4. —¿Vamos al cine?
   —No, _____.

   a. no me apetece   c. me parece un buen plan
   b. sí, vamos   d. con mucho gusto

5. —¿Nicolás _____?
   —Sí. La reunión comenzó a las 6:00 p. m. y él llegó a las 5:55 p. m.

   a. llegó tarde   c. no llegó a tiempo
   b. llegó a tiempo   d. no llegó nunca

2 Conversaciones

▶ **Relaciona** para formar diálogos.

A	B
____ 1. Pedro, te invito a cenar.	a. Utiliza un teléfono público.
____ 2. Llamo a Lucas, pero no responde.	b. Encantada.
____ 3. Paula, quiero presentarte a Héctor.	c. Debes reconciliarte con él.
____ 4. No me queda batería en el celular.	d. Con mucho gusto.
____ 5. Discutí con Javier ayer por la tarde.	e. Puedes dejarle un mensaje.

3 **¿Qué sucedió?**

▶ **Relaciona** cada pregunta con una respuesta.

Ⓐ	Ⓑ
_____ 1. ¿Estaba Carmen en la fiesta?	a. No sé, no me dijo nada.
_____ 2. ¿Recibiste mi regalo?	b. Sí, gracias. Aquí lo tengo.
_____ 3. ¿Qué opina el profesor?	c. Se la di a Teresa anoche.
_____ 4. ¿Qué hiciste con la carta?	d. Me los regaló Javier.
_____ 5. ¿De dónde son esos dulces?	e. Yo no la vi.

4 **Practica con pronombres**

▶ **Elige** la forma verbal correcta para completar cada oración.

1. Víctor y Eduardo _____ mucho de ti.
   a. acuerdan   b. acordaron   c. se acuerdan   d. me acuerdo

2. Cuando Elia _____ de la mentira, se molestó mucho.
   a. me enteró   b. se enteró   c. te enteraste   d. nos enteramos

3. Carlos y Gabriela _____ la semana pasada.
   a. se peleó   b. te peleas   c. se pelearon   d. se pelean

4. Estoy triste porque mi celular _____.
   a. lo rompí   b. se rompió   c. rompe   d. se rompieron

5. El domingo me acosté a las diez y _____ inmediatamente.
   a. me dormí   b. nos durmió   c. se dormirá   d. se duerme

6. Mis padres _____ mucho por nuestro futuro.
   a. preocupan   b. preocupamos   c. se preocupan   d. nos preocupan

7. Silvia _____ muchísimo a su madre.
   a. parece   b. se parecen   c. te pareces   d. se parece

8. Álex llegó a las cuatro y _____ toda la tarde en mi casa.
   a. se quedó   b. quedó   c. quedamos   d. se quedaron

9. Ayer Pablo _____ cuando estaba patinando.
   a. cayó   b. caíste   c. se cayó   d. me cayó

10. Sandra tenía mucha hambre y _____ una pizza entera.
    a. comío   b. se comió   c. la comió   d. le comió

Nombre: .... Clase: .... Fecha: ....

Examen: Unidad 2. Entre amigos (págs. 66–119)

Vocabulario

1 **Acciones**

▶ **Relaciona** cada imagen con una acción.

_____ 1. dar un abrazo

_____ 2. hablar por teléfono

_____ 3. presentar a un amigo

_____ 4. marcar un número

_____ 5. pedir perdón

2 **La tía Jimena**

▶ **Completa** el texto con las palabras del recuadro.

| a. enamorados | b. invitados | c. anfitriona | d. buzón de voz | e. fiesta |

Reunión familiar

Mi tía Jimena es una (1) _____ excelente. El domingo pasado
ella organizó una (2) _____ familiar en su casa. Todos los
(3) _____ llegaron a tiempo. Allí estaban mi primo David
y su novia. Ellos se quieren mucho, están muy (4) _____. Mi tío
Luis no pudo asistir, pero dejó un mensaje en el (5) _____.
En la fiesta hubo comida buenísima y música. ¡Lo pasamos muy bien!

3 Planes

▶ **Completa** las oraciones con los verbos del recuadro en futuro.

1. Leonor _____ con sus amigas esta tarde.

2. Si ustedes prueban el coche, _____ comprarlo.

3. Alejandro y yo _____ la mesa para la cena.

4. Estas monedas _____ mucho más el próximo año.

5. ¿Tú _____ una fiesta cuando te gradúes?

a. hacer
b. poner
c. querer
d. salir
e. valer

4 Rutina familiar

▶ **Elige** la forma verbal correcta para completar cada oración.

1. Todos los días me levanto muy temprano y _____ la cara.

   a. se lava   b. te lava   c. me lavo   d. nos lavamos

2. Mis hermanas nunca llegan a tiempo porque _____ muy tarde.

   a. se despierta   b. se despiertan   c. despierta   d. me despiertan

3. Ellos _____ constantemente porque están enamorados.

   a. te abrazan   b. se abrazan   c. me abraza   d. nos abraza

4. Mi hermano y yo _____ el desayuno todos los días.

   a. se preparan   b. nos preparan   c. se prepara   d. nos preparamos

5. Mi madre siempre _____ antes de salir.

   a. se maquilla   b. te maquilla   c. nos maquillan   d. me maquillas

5 Cuestión de gustos

▶ **Completa** cada oración con la forma correcta del verbo entre paréntesis y el pronombre correcto.

1. A Beatriz y a mí _____ tomar el sol por las mañanas.
   (encantar)

2. ¡Claro que quiero ir al cine! _____ mucho ver esa película.
   (interesar)

3. No te preocupes tanto. A Lucas no _____ lo que hagas o digas.
   (importar)

4. En este momento a mí no _____ hablar de eso.
   (apetecer)

5. Norma, ya sabes que a tus padres no _____ que llegues tarde.
   (gustar)

Nombre: _____ Clase: _____ Fecha: _____

Examen: Unidad 2. Entre amigos (págs. 66–119)

Cultura

6 **¿Cuánto sabes de cultura hispana?**

▶ **Elige** la opción correcta para completar cada afirmación.

1. Según la leyenda, san Jorge mató a _____.
   a. un dragón
   b. una princesa
   c. un caballero

2. Juan Luis Guerra es _____ dominicano.
   a. un jugador de pelota
   b. un cantante
   c. un presidente

3. El 23 de abril se celebra el Día de _____ en Cataluña.
   a. san Valentín
   b. san Jordi
   c. san Pedro

4. El _____ es un deporte de origen prehispánico.
   a. juego de pelota
   b. ajedrez
   c. tenis

5. Los mixtecos desarrollaron un sistema de _____ con figuras y símbolos.
   a. baile
   b. comidas
   c. escritura

6. _____ es un elemento importante en la cultura de los países latinos.
   a. Un mensaje de texto
   b. El baile
   c. Llegar tarde

7. Las *Rimas* de Gustavo Adolfo Bécquer tratan, sobre todo, _____.
   a. de la comida
   b. de las vacaciones
   c. del amor

8. _____ son grupos de personas que tocan música y bailan en los carnavales.
   a. Las *collas*
   b. El candombe
   c. Las comparsas

9. En los países hispanos muchas personas se saludan con _____ en la mejilla.
   a. un beso
   b. el teléfono
   c. un abrazo

10. En _____ es tradicional levantar torres humanas llamadas *castells*.
    a. Cataluña
    b. Santo Domingo
    c. Oaxaca

7 Problemas de amor

▶ **Escucha** la conversación y completa las oraciones.

1. Carlos se puso _____ y rompió con Liza.

2. Liza dice que ella _____ con Sergio porque son amigos.

3. Carlos piensa que Liza no lo _____ ni lo quiere.

4. Sergio y Liza acordaron ser _____.

5. Mari espera que Liza y Carlos puedan _____.

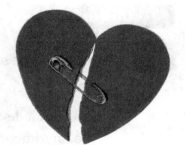

Hablar

8 Tu vida personal y social

▶ **Habla.** Responde a las preguntas que te plantee tu profesor(a).

	COMMUNICATION	GRAMMAR	VOCABULARY	CONTENT
5	Communication entirely comprehensible; no errors in the message.	No grammatical errors noted.	Wide variety of accurate vocabulary with no errors in expression.	Expanded content relevant; responds completely to the task.
4	Communication comprehensible; message understood.	A few errors in grammar, but not significant to communication.	Accurate vocabulary; adequate for expression.	Content contains some relevant information to the task.
3	Communication almost comprehensible; message somewhat clear.	Several errors in grammar.	Limited vocabulary; several errors in expression.	Limited content. Some information provided with a few details.
1	Not enough communication provided.	Significant errors in grammar structures.	Extremely limited vocabulary inhibits expression.	Limited content. No information provided.

Total _____ / 20

Nombre: .... **Clase:** .... **Fecha:** ....

Examen: Unidad 2. Entre amigos (págs. 66–119)

Leer

9 Un correo de mamá

▶ **Lee** el correo electrónico de la señora Delgado. Después, elige la opción correcta para completar cada oración.

Para:	los chicos
Asunto:	Esta tarde

Chicos, les envío este correo electrónico porque no contestaron al teléfono. El buzón de voz está lleno, así que no pude dejarles un mensaje. Esta tarde Inés, mi jefa, da una fiesta en su casa y me ha invitado. Iré con ella directamente desde la oficina y papá se reunirá conmigo después.

En mi ausencia, tienen que hacer las tareas de la escuela. Por favor, no se peleen. Papá y yo confiamos en ustedes. Les prometemos no llegar tarde. ¿Quieren ir al cine después? Yo los puedo llevar. Miren la sección de espectáculos en el periódico para ver qué películas están poniendo. Sé que hay una película nueva del actor Ronaldo Corazones. Trata de un chico y una chica que se enamoran, pero que rompen por culpa de una exnovia celosa. No sé si querrán ver algo romántico...

Nos vemos pronto. Si necesitan alguna cosa, escríbanme un mensaje de texto o llámenme al celular.

Besos.

Mamá

1. La señora Delgado no dejó un recado porque el .... estaba lleno.
   a. correo   b. teléfono público   c. buzón de voz

2. Inés es la .... de la fiesta.
   a. invitada   b. anfitriona   c. empleada

3. Los chicos no deben ....
   a. hacer las tareas   b. ver qué películas hay   c. pelearse

4. La señora Delgado y su esposo .... los chicos.
   a. confían en   b. no confían en   c. discuten con

5. La señora Delgado les dice a sus hijos que va a ....
   a. llegar tarde   b. llegar temprano   c. salir muy tarde

10 **Tus amigos**

▶ **Escribe.** Responde a estas preguntas.

1. ¿Quiénes son tus mejores amigos? ¿Qué hacen juntos?

2. ¿Qué planes tienes para hoy?

3. ¿Adónde piensas ir el próximo mes?

4. ¿Cuándo llamas a tus amigos por teléfono?

5. ¿Te gusta enviar mensajes de texto? ¿Por qué?

Nombre: _____   **Clase:** _____   **Fecha:** _____

Prueba: Desafío 1 (págs. 126–137)

Vocabulario

1 **Para vestirse**

▶ **Relaciona** las imágenes con las palabras correctas.

_____ 1. la manga

_____ 2. los zapatos de tacón

_____ 3. los zapatos planos

_____ 4. el paraguas

_____ 5. la cremallera

A

B

C

D

E

2 **Mi ropa**

▶ **Elige** la opción apropiada para completar cada oración.

1. _____ no cierra bien.
   a. La manga   b. El cuello   c. El bolsillo   d. La cremallera

2. La falda me queda grande. Es muy _____.
   a. estrecha   b. corta   c. ajustada   d. ancha

3. Los zapatos de _____ son muy buenos.
   a. cuero   b. poliéster   c. lana   d. terciopelo

4. Dice mi mamá que va a llover. Necesito un _____.
   a. bolsillo   b. cinturón   c. paraguas   d. cuello

5. Por favor, guarda el dinero en tu _____.
   a. bolsillo   b. manga   c. cuello   d. cremallera

3 Abierto, cerrado

▶ **Relaciona** y forma oraciones lógicas.

Ⓐ

_____ 1. Dentro de casa, los paraguas deben estar

_____ 2. Este zapato tiene el tacón

_____ 3. Niños, llevan las cremalleras

_____ 4. Hoy la tienda no está

_____ 5. La camisa no está bien

Ⓑ

a. desabrochadas.

b. abierta.

c. hecha.

d. cerrados.

e. roto.

4 Me gustan los participios

▶ **Completa** las oraciones con el participio de los verbos entre paréntesis.

1. Busco un traje de seda y lana _____ en Italia.
   (fabricar)

2. La tienda de complementos está _____ los lunes.
   (cerrar)

3. Estamos _____ para los exámenes finales.
   (preparar)

4. Mi vestido de terciopelo está _____.
   (romper)

5. El jardín de mi escuela está _____ de flores.
   (cubrir)

5 En presente perfecto

▶ **Completa** las oraciones con los verbos en presente perfecto.

1. Hoy yo no _____ las ofertas de trabajo en el periódico.
   (ver)

2. Dunia no me _____ esta mañana.
   (saludar)

3. Miguel, ¿por qué te _____ una camisa de manga larga?
   (ponerse)

4. Nosotras _____ al cine tres veces esta semana.
   (ir)

5. ¿Ustedes no le _____ todavía al nuevo profesor?
   (escribir)

Nombre: .... **Clase:** .... **Fecha:** ....

Prueba: Desafío 2 (págs. 138–149)

Vocabulario

1 **Materiales**

▶ **Completa** las oraciones con las palabras del recuadro.

| a. madera   b. metal   c. cerámica   d. plástico   e. lana |

1. Mi florero favorito es de _____ .

2. El abrigo de mamá es muy suave; es de _____ .

3. En esta región hay muchas casas de _____ .

4. Tú bolígrafo es de _____ .

5. Casi todos los coches son de _____ , cristal y plástico.

2 **¿Cómo son?**

▶ **Elige** la opción apropiada para completar cada oración.

1. Generalmente, los televisores son _____ .
   - a. ovalados
   - b. cuadrados
   - c. rectangulares
   - d. redondos

2. El escritorio de mi abuelo es de _____ natural.
   - a. hierro
   - b. madera
   - c. cerámica
   - d. lana

3. Ese suéter azul oscuro es de _____ .
   - a. metal
   - b. hierro
   - c. lana
   - d. madera

4. Esta mesa es muy pequeña para el televisor;
   no es _____ .
   - a. práctica
   - b. bonita
   - c. de madera
   - d. rectangular

5. El pelo de mi gato es muy _____ .
   - a. suave
   - b. auténtico
   - c. blando
   - d. duro

Gramática

3 Cantidad y existencia

▶ **Relaciona** y forma oraciones lógicas.

Ⓐ

1. En esa tienda venden algunos
2. En Guatemala compré muchas
3. Me gustan los zapatos, pero
4. En aquella casa
5. Compré un florero de plástico porque

Ⓑ

a. no había ninguno de cristal.
b. alfombras de lana auténtica.
c. platos de cerámica artesanales.
d. no vive nadie.
e. son demasiado caros.

4 En el mercadillo

▶ **Completa** las oraciones con las palabras del recuadro.

a. algunas	b. demasiado	c. nada	d. ninguna	e. varios

1. Carlos estuvo tres horas en el mercadillo, pero no compró _____.

2. A Paula le gustaron _____ joyas y finalmente compró un anillo.

3. Emilio se probó tres chaquetas de lana, pero _____ le quedaba bien.

4. Toni encontró muebles antiguos muy bonitos, pero eran _____ caros.

5. Rita compró _____ platos de cerámica prácticos y bonitos.

5 Dilo con *se*

▶ **Ordena** las palabras para formar oraciones. Escribe los verbos en la forma correcta.

1. se / lámparas / en el mercado / muchas / vender

_____

2. hacer / se / artesanías de madera / a mano / algunas

_____

3. en mi escuela / hablar / se / prohibir / por teléfono

_____

4. profesores de natación / necesitar / varios / se / en mi comunidad

_____

5. muchos libros / poder / leer / en la biblioteca / se

_____

Assessments Blackline Master Español Santillana. ® Santillana USA

Nombre: _____ **Clase:** _____ **Fecha:** _____

Prueba: Desafío 3 (págs. 150–161)

Vocabulario

1 Tareas del hogar

▶ **Elige** la opción apropiada para completar cada oración.

1. Ya he barrido, pero necesito _____ para recoger la basura.
   - a. el lavavajillas
   - b. el cubo
   - c. el trapeador
   - d. el recogedor

2. No puedo lavar los platos porque se acabó _____.
   - a. el cubo
   - b. la escoba
   - c. el lavavajillas
   - d. el detergente

3. Para lavar la ropa necesito el _____.
   - a. cubo
   - b. recogedor
   - c. detergente
   - d. trapo

4. Tú barres el suelo con _____.
   - a. la escoba
   - b. el trapeador
   - c. el tendedero
   - d. el trapo

5. Utiliza _____ para fregar bien el suelo.
   - a. el trapo
   - b. el trapeador
   - c. la escoba
   - d. el recogedor

2 Oficios

▶ **Completa** las oraciones con las palabras del recuadro.

a. pintor	b. albañil	c. carpintero	d. jardinero	e. electricista

1. El _____ hizo una mesa y cuatro sillas.

2. No hay luz en esta habitación. Tengo que llamar al _____.

3. No sé nada de flores, así que necesito un _____ para arreglar el jardín.

4. El _____ pintó de blanco toda la casa.

5. El _____ arregló las paredes de mi apartamento.

3 Oraciones lógicas

▶ **Relaciona** y forma oraciones lógicas.

Ⓐ

1. Los chicos no probaron la comida
2. Tu amigo me dijo que la carta
3. Ella pudo recoger la ropa
4. Todos estábamos preocupados
5. Julio y yo ya habíamos salido

Ⓑ

a. había llegado a tiempo.
b. porque no habíamos estudiado.
c. cuando tú llegaste.
d. porque ya habían almorzado.
e. porque ya se había secado.

4 Antes del pasado

▶ **Completa** las oraciones con los verbos en pluscuamperfecto.

1. Antes de ver la película, Jorge ya _____ el libro.
   (leer)

2. Cuando mi madre llegó, nosotros ya _____ la casa.
   (limpiar)

3. Ellos estaban preocupados porque Carolina no _____ todavía.
   (llegar)

4. Cuando llegué a tu casa, tú no _____ la tarea.
   (terminar)

5. Mamá estaba muy enojada porque yo no _____ la ropa.
   (guardar)

5 ¿Esta o aquella?

▶ **Elige** el demostrativo correcto para completar cada oración.

1. Esa escoba no sirve, pero _____ sí.
   a. esta   b. ese   c. aquel   d. estas

2. Esos platos ya están limpios, pero _____ todavía no.
   a. aquellas   b. aquellos   c. esa   d. esto

3. Ese trapo está sucio, pero _____ está limpio.
   a. estos   b. esos   c. aquellos   d. aquel

4. Ese detergente es buenísimo y _____ es todavía mejor.
   a. este   b. esos   c. aquella   d. aquellos

5. Aquellas camisas están planchadas, pero _____ que están aquí, no.
   a. aquel   b. aquellas   c. estas   d. esos

Nombre: .... Clase: .... Fecha: ....

Prueba: Desafíos 1–3 (págs. 126–161)

Vocabulario

1 **¡Qué elegante!**

▶ **Completa** las oraciones con las palabras del recuadro.

| a. auténtica | b. terciopelo | c. elegante | d. prácticas | e. buena calidad |

1. Aquella chica está muy _____ con sus zapatos de tacón.

2. Las chaquetas de cuero no son _____ en el verano.

3. Mi tía tiene tres vestidos de _____ negro.

4. Tus zapatos de cuero son de _____.

5. Tengo una alfombra de lana _____ de alpaca.

2 **Todo lo necesario**

▶ **Elige** la opción apropiada para completar cada oración.

1. Después de lavar la ropa, hay que tenderla en el _____.
   a. cubo   c. lavavajillas
   b. trapeador   d. tendedero

2. ¿Has puesto agua en el _____ para fregar el suelo?
   a. lavavajillas   c. detergente
   b. limpiacristales   d. cubo

3. Después de barrer, utilizo el _____.
   a. recogedor   c. limpiacristales
   b. cubo   d. tendedero

4. Utiliza el _____ para limpiar el polvo de los muebles.
   a. cubo   c. tendedero
   b. trapo   d. limpiacristales

5. Siempre utilizo _____ para fregar los platos.
   a. escoba   c. limpiacristales
   b. lavavajillas   d. trapeador

Gramática

3 ¿Cuántos?

▶ **Relaciona** y forma oraciones lógicas.

Ⓐ

_____ 1. Eva e Isabel se sienten mal porque comieron

_____ 2. No terminaste la tarea; solo hiciste

_____ 3. Mamá está muy contenta porque el doctor no encontró

_____ 4. No quiero saber lo que sucedió, mejor no digas

_____ 5. Busqué a mis hermanos por todos lados, pero no vi a

Ⓑ

a. algunos ejercicios.

b. nada.

c. nadie.

d. muchos chocolates.

e. ningún problema.

4 ¿Qué pasado?

▶ **Elige** la forma verbal correcta para completar cada oración.

1. Nos sorprendimos mucho porque nosotros jamás _____ algo así.
   a. hemos visto
   b. han visto
   c. habíamos visto
   d. habían visto

2. Cuando Ángela llegó, Mariana ya _____ muy bien la situación.
   a. había estudiado
   b. ha estudiado
   c. han estudiado
   d. habían estudiado

3. Patricia me dijo que ustedes _____ temprano a la escuela.
   a. han llegado
   b. habían llegado
   c. hemos llegado
   d. ha llegado

4. Hugo no tuvo problemas porque él ya _____ permiso para salir.
   a. ha pedido
   b. habían pedido
   c. había pedido
   d. han pedido

5. Tú _____ de organizar tu cuarto cuando llegaron tus padres.
   a. habías terminado
   b. has terminado
   c. hemos terminado
   d. había terminado

Assessments Blackline Master Español Santillana. ® Santillana USA

Nombre: .... **Clase:** .... **Fecha:** ....

Examen: Unidad 3. Tus cosas (págs. 120–173)

Vocabulario

1 **Limpio mi casita**

▶ **Relaciona** las imágenes con las acciones correctas.

_____ 1. fregar el suelo

_____ 2. barrer el suelo

_____ 3. limpiar el polvo

_____ 4. tender la ropa

_____ 5. doblar la ropa

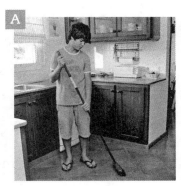

2 **Forma, color, textura, tamaño**

▶ **Completa** las oraciones con las palabras del recuadro.

a. número	b. suave	c. colores	d. ancho	e. redonda

1. La blusa de seda de mi abuela es muy _____.

2. Me gusta la ropa de esa tienda porque tiene _____ brillantes.

3. Los zapatos te molestan porque no son de tu _____.

4. Aquella mesa no es cuadrada ni rectangular, es _____.

5. Ese vestido no te queda ajustado, te queda _____.

Gramática

3 **He dicho**

▶ **Elige** la forma verbal correcta para completar cada oración.

1. ¿Ustedes nunca _____ al tenis?

   a. ha jugado   c. he jugado

   b. hemos jugado   d. han jugado

2. Gilberto y yo solo _____ dos veces esta semana.

   a. han hablado   c. ha hablado

   b. hemos hablado   d. habían hablado

3. Es verdad, yo _____ más de una vez en ese lugar.

   a. ha estado   c. han estado

   b. habías estado   d. he estado

4. Sus padres _____ por muchos países de América del Sur.

   a. hemos viajado   c. han viajado

   b. ha viajado   d. has viajado

5. Tenemos tanto trabajo que no nos _____ de esta mesa en toda la tarde.

   a. hemos levantado   c. he levantado

   b. has levantado   d. habían levantado

4 **Demostrativos**

▶ **Completa** las oraciones con los demostrativos del recuadro.

a. eso	b. esos	c. aquel	d. aquellas	e. ese

1. ¿Alcanzas a ver _____ casas que están al final de la avenida?

2. ¿Cuánto cuestan _____ pantalones negros que están en la vitrina?

3. ¿Te acuerdas de _____ profesor que teníamos cuando empezamos la escuela?

4. ¿Qué es _____ que está ahí?

5. ¿De quién es _____ reloj que me gusta tanto?

Nombre: .... **Clase:** .... **Fecha:** ....

Examen: Unidad 3. Tus cosas (págs. 120–173)

Cultura

5 **Preguntas culturales**

▶ **Responde** a estas preguntas.

1. ¿Qué es la whipala?

2. ¿En qué región nació el flamenco?

3. ¿Qué diseñadores hispanos conoces?

4. ¿Con qué objetivo se creó el Día Mundial del Medio Ambiente?

5. ¿Cuándo y dónde se celebra el Festival de los Patios?

6 Las casas de Mercedes

▶ **Escucha** a Mercedes y completa las oraciones.

1. Los muebles de la casa de Quito eran de _____ auténtica.

2. En la casa de Quito había alfombras de _____.

3. Cuando vivían en Quito, Mercedes ayudaba a su mamá a _____ y a tender la ropa.

4. Las paredes de la casa de Lima están pintadas de colores _____.

5. La ventana de la habitación de Mercedes en Lima es _____.

Hablar

7 Tu ropa, tu casa

▶ **Habla.** Responde a las preguntas que te plantee tu profesor(a).

	COMMUNICATION	GRAMMAR	VOCABULARY	CONTENT
5	Communication entirely comprehensible; no errors in the message.	No grammatical errors noted.	Wide variety of accurate vocabulary with no errors in expression.	Expanded content relevant; responds completely to the task.
4	Communication comprehensible; message understood.	A few errors in grammar, but not significant to communication.	Accurate vocabulary; adequate for expression.	Content contains some relevant information to the task.
3	Communication almost comprehensible; message somewhat clear.	Several errors in grammar.	Limited vocabulary; several errors in expression.	Limited content. Some information provided with a few details.
1	Not enough communication provided.	Significant errors in grammar structures.	Extremely limited vocabulary inhibits expression.	Limited content. No information provided.

Total _____ / 20

Examen: Unidad 3. Tus cosas (págs. 120–173)

Leer

8 Anuncios

▶ **Lee** los anuncios. Después, decide si las afirmaciones son ciertas (C) o falsas (F).

Se busca un albañil para reparar las paredes de tres apartamentos. Debe tener también experiencia como plomero. Llamar al 589-423 después de las 5 p. m.

Se busca un diseñador de ropa creativo. Debe hacer todo tipo de ropa en diferentes tallas. Los candidatos deben presentar ropa hecha de algodón, seda y terciopelo. Enviar un e-mail a casadelamoda@creadores.com.

Se tejen alfombras de lana auténtica. Son muy suaves y de colores brillantes. Puede comprar nuestras alfombras en las tiendas de artesanías de la ciudad. Para hacer su pedido, llame al 231-674. Se hacen entregas a domicilio.

Se busca un jardinero para cuidar el jardín de una escuela. También debe limpiar el polvo y barrer el suelo de la escuela. Para más información, llame al 236-123.

Se necesita un pintor para pintar la entrada de un edificio de oficinas. Se paga por hora. Información: calle Balcón, 45.

Se venden muebles de madera natural y de hierro. Tenemos mesas rectangulares, cuadradas y redondas. Todas son de muy buena calidad. Para hacer su pedido, llame al teléfono 896-525 o visítenos en la tienda Todo para el hogar.

1. Se busca un albañil que tenga experiencia como pintor.　　C　　F
2. Se necesita un jardinero para pintar un edificio.　　C　　F
3. Se venden alfombras de lana de colores brillantes.　　C　　F
4. Se busca un diseñador de zapatos de seda.　　C　　F
5. No se venden mesas ovaladas de buena calidad.　　C　　F

9 Cosas tuyas

▶ **Escribe.** Responde a estas preguntas.

1. ¿Qué objetos utilizas para limpiar tu casa?

_____

_____

_____

2. ¿Cómo es la ropa que llevas puesta?

_____

_____

_____

3. ¿De qué materiales son los objetos del salón de clase?

_____

_____

_____

4. ¿Qué has hecho hoy?

_____

_____

_____

5. ¿A qué lugares habías ido cuando comenzó este curso escolar?

_____

_____

_____

Nombre: _____ **Clase:** _____ **Fecha:** _____

Prueba: Desafío 1 (págs. 180–191)

Vocabulario

1 **Para comer bien**

▶ **Elige** la opción apropiada para completar cada oración.

1. No quiero enfermar, ¡necesito _____!
   - a. carne roja
   - b. comida basura
   - c. vitaminas
   - d. fibra

2. Si comes _____, aumentas de peso.
   - a. alimentos con calorías
   - b. hortalizas
   - c. comida nutritiva
   - d. pescado

3. Me gusta la carne blanca porque es menos _____.
   - a. cruda
   - b. grasosa
   - c. nutritiva
   - d. sabrosa

4. Tita, para bajar de peso tienes que _____.
   - a. comer cosas ligeras
   - b. evitar las legumbres
   - c. evitar las hortalizas
   - d. consumir comida basura

5. No tomes refrescos; es mejor tomar _____.
   - a. infusiones minerales
   - b. agua mineral
   - c. agua con azúcar
   - d. jugos con azúcar

2 **Alimentos y nutrientes**

▶ **Completa** las oraciones con las palabras del recuadro.

a. sabroso	b. calorías	c. hortalizas	d. proteínas	e. sustituir

1. Estoy a dieta. Debo reducir las _____ de mis comidas.

2. ¡Qué _____ está este pescado fresco!

3. Deberías _____ los refrescos por el agua mineral.

4. El pescado tiene muchas _____.

5. Mi abuela tiene muchas _____ en su jardín.

3 Hazlo

▶ **Relaciona** cada oración con el mandato correspondiente.

A

_____ 1. Chicos, su habitación está muy sucia.

_____ 2. Esta sopa no tiene sabor.

_____ 3. Estoy muy cansada.

_____ 4. Chicos, el examen es mañana.

_____ 5. Señor Díaz, es hora de su cita.

B

a. Agrégale un poco de pimienta.

b. Duerme un par de horas.

c. Límpienla pronto.

d. Pase para que lo atiendan.

e. Estudien bien el vocabulario.

4 Cambios

▶ **Completa** las oraciones con los verbos apropiados en pretérito.

| a. quedarse | b. hacerse | c. convertirse | d. ponerse | e. volverse |

1. Las chicas _____ muy nerviosas cuando llegó su turno de hablar.

2. La clase _____ en silencio durante unos minutos.

3. Cuando mis padres escucharon que iban a ser abuelos, _____ locos de la alegría.

4. Ella _____ profesora porque le gusta ayudar a los niños.

5. Con el tiempo, esa chica _____ en una mujer bellísima.

5 ¡Hagámoslo!

▶ **Completa** cada oración con el mandato de la forma *nosotros* del verbo entre paréntesis.

1. _____ al cine para ver la película nueva.
   (ir)

2. _____ antes de salir de casa.
   (comer)

3. _____ dinero para los refrescos.
   (llevar)

4. _____ unos dulces.
   (comprar)

5. _____ temprano a casa.
   (regresar)

Nombre: _____ **Clase:** _____ **Fecha:** _____

Prueba: Desafío 2 (págs. 192–203)

1 Objetos de higiene

▶ **Relaciona** cada imagen con el nombre del objeto correspondiente.

_____ 1. el gorro de ducha

_____ 2. el albornoz

_____ 3. el cortaúñas

_____ 4. el hilo dental

_____ 5. la maquinilla de afeitar

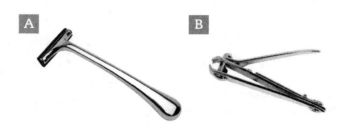

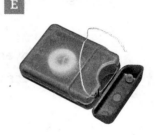

2 A cuidarse

▶ **Completa** las oraciones con las palabras que faltan.

a. aumentar de peso	b. darse un masaje	c. sentirse estresada
d. entrenar		e. respirar

1. Es importante _____ profundamente cuando haces yoga.

2. Para relajarse, es bueno _____.

3. La niña está muy delgada, necesita _____.

4. Cuando una persona trabaja mucho y no duerme bien,
   puede _____.

5. Para correr un maratón, tendremos que _____ mucho.

3 Es necesario

▶ **Elige** la opción apropiada para completar cada oración.

1. Es aconsejable que _____
   verduras y frutas para bajar de peso.

   a. comas   c. comer

   b. comería   d. comes

2. Para bajar de peso, es necesario

   _____ bien.

   a. se alimentan   c. alimentarse

   b. se alimenta   d. se alimente

3. Es preciso que _____ bien
   en la clase de yoga.

   a. respirar   c. respiraremos

   b. respiramos   d. respiremos

4. _____ que llevemos crema solar cuando vayamos a la playa.

   a. No es conveniente   c. Es importante

   b. No es necesario   d. Es sorprendente

5. _____ que te tomes un tiempo para hacer ejercicios
   de relajación si después te sientes mejor.

   a. No es necesario   c. No es bueno

   b. No me parece mal   d. No es importante

4 Por mí, para ti

▶ **Completa** las oraciones con *por* o *para*.

1. Me siento mal _____ el estrés que tengo.

2. Leo, tienes que entrenar mucho _____
   ganar el partido.

3. _____ evitar calambres, tienes que estirar
   los músculos.

4. El gimnasio está _____ la calle Durango.

5. _____ cuidarse los dientes, hay que usar
   el hilo dental.

Nombre: _____ Clase: _____ Fecha: _____

Prueba: Desafío 3 (págs. 204–215)

Vocabulario

1 **Control médico**

▶ **Elige** la opción apropiada para completar cada oración.

1. La niña está llorando porque _____ muy fuerte.
   a. está hinchada   c. tiene síntomas
   b. se dio un golpe   d. le dieron puntos

2. Según _____ del médico, tengo alergia.
   a. los síntomas   c. el pulso
   b. un antibiótico   d. el diagnóstico

3. La función principal del _____ es digerir los alimentos.
   a. cerebro   c. intestino
   b. corazón   d. pulso

4. El _____ controla todo el cuerpo humano.
   a. hígado   c. intestino
   b. cerebro   d. estómago

5. Tengo dolor de muelas y por eso voy al _____.
   a. dentista   c. psicólogo
   b. oculista   d. pediatra

2 **Conoce tu cuerpo**

▶ **Completa** las oraciones con las palabras que faltan.

a. huesos   b. músculos   c. un psicólogo   d. los pulmones   e. recetar

1. El médico te puede _____ algún medicamento para la tos.

2. _____ obtienen el oxígeno del aire que respiramos.

3. Habla con _____ de la ansiedad que sientes.

4. El pilates es excelente para los _____.

5. El esqueleto humano tiene más de doscientos _____.

3 Recomendaciones

▶ **Elige** la opción apropiada para completar cada oración.

1. El profesor les aconseja a sus alumnos
   que _____ para hacer bien el examen.

   a. estudian   b. estudien   c. estudiaran

2. La médica me recomienda _____
   una aspirina si me duele la cabeza.

   a. tomar   b. tomara   c. tome

3. Yo que tú, _____ inmediatamente
   al oír mi nombre.

   a. salir   b. salías   c. saldría

4. _____ ir al cine con Jorge.

   a. Aconsejar   b. Deberías   c. Yo en tu lugar

5. Yo que tú le _____ todo a tu amigo.

   a. explicaría   b. expliqué   c. explicaré

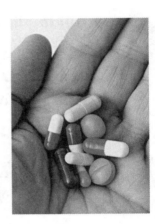

4 Si pudieran...

▶ **Ordena** las palabras para formar oraciones lógicas. Escribe los verbos
en condicional.

1. en un restaurante / con tu novia / comer / tú

   _____

2. la casa / el señor Campos / arreglar / de su familia

   _____

3. comprar / tú y yo / colombiano / el CD / del cantante

   _____

4. con mis amigos / yo / al Caribe / viajar

   _____

5. a Alberto / la abuela / un regalo / enviarle

   _____

Prueba: Desafíos 1–3 (págs. 180–215)

Vocabulario

1 **De salud**

▶ **Elige** la opción apropiada para completar cada oración.

1. Es necesario evitar la comida basura para no _____.

   a. bajar de peso   c. aumentar de peso

   b. descansar   d. estirar los músculos

2. Un vegetariano come muchas _____.

   a. infusiones   c. calorías

   b. verduras   d. especias

3. Voy a bañarme y necesito _____.

   a. el hilo dental   c. la crema solar

   b. un cortaúñas   d. una esponja

4. Marisa está _____ por el golpe en la cabeza.

   a. hinchado   c. rota

   b. mareada   d. enfermo

5. El médico te puede recetar _____ para la infección.

   a. antibióticos   c. radiografías

   b. puntos   d. pulsos

2 **Nos cuidamos**

▶ **Completa** las oraciones con las palabras del recuadro.

| a. proteínas | b. higiene | c. escalofríos | d. digerir | e. saludables |

1. Descansar, entrenar y relajarse son hábitos _____.

2. El cortaúñas y el hilo dental son objetos de _____.

3. La carne grasosa es difícil de _____.

4. Las _____ son necesarias en una buena alimentación.

5. Si tienes _____, es posible que tengas fiebre.

Gramática

3 **¿Ya controlas *por* y *para*?**

▶ **Relaciona** y forma oraciones lógicas.

Ⓐ	Ⓑ

_____ 1. Están muy emocionados porque saldrán

_____ 2. Ana tenía mucho trabajo, así que José fue

_____ 3. Todos los días hago ejercicio

_____ 4. Tú no quieres ir al médico, pero

_____ 5. No puedo creer que hayan pagado tanto

a. para mí, es muy importante.

b. para mantenerme en forma.

c. por una sola clase de yoga.

d. por ella a la reunión.

e. para Caracas mañana.

4 **¿Qué harías?**

▶ **Elige** la forma verbal correcta para completar cada oración.

1. Con tanto dinero, yo _____ una casa de lujo.
   a. comprarías   b. compraría   c. compraba   d. compro

2. Ella _____ con él, pero él no contesta al teléfono.
   a. hablaba   b. hablarían   c. hablarías   d. hablaría

3. Estaba seguro de que mis padres _____ que no.
   a. diríamos   b. dicen   c. dirían   d. decían

4. Mi maestra no tiene coche, pero _____ a tiempo.
   a. llegaría   b. llegarías   c. llegan   d. llegabas

5. De ese modo ella _____ toda la verdad.
   a. sabrías   b. sabría   c. sabríamos   d. sabías

5 **¡No lo hagan!**

▶ **Completa** las oraciones con mandatos negativos.

1. Señor Barrera, _____ demasiados ejercicios.
   (hacer)

2. Papá, mamá, _____ todo lo que les dice Juanito.
   (creer)

3. Ignacio, si quieres que salga contigo, _____ tan celoso.
   (ser)

4. Chicos, _____ a ese restaurante tan caro.
   (ir)

5. María, _____ tanto si no quieres ponerte enferma.
   (trabajar)

Nombre: .... Clase: .... Fecha: ....

Examen: Unidad 4. Vida sana (págs. 174–227)

Vocabulario

1 Con un poco de lógica

▶ **Relaciona** y forma oraciones lógicas.

Ⓐ

_____ 1. La carne está jugosa

_____ 2. El doctor me hizo un análisis de sangre

_____ 3. Tengo una infección en la garganta

_____ 4. Tengo hábitos saludables

_____ 5. El sol calienta mucho hoy

Ⓑ

a. y como alimentos nutritivos.

b. y no está grasosa.

c. y me pongo crema solar.

d. y estoy tomando un antibiótico.

e. y también una radiografía.

2 Opciones saludables

▶ **Elige** la opción apropiada para completar cada oración.

1. Tienes que estirar _____ para evitar calambres.

   a. los músculos   c. el cerebro

   b. los huesos   d. los pulmones

2. Para ver los huesos, el doctor necesita hacer _____.

   a. una revisión médica   c. una radiografía

   b. un análisis de sangre d. un diagnóstico

3. La carne está hecha _____ y está muy sabrosa.

   a. mal   c. jugosa

   b. al punto   d. grasosa

4. _____ me examinó los ojos.

   a. La psicóloga   c. El oculista

   b. El dentista   d. La pediatra

5. La rodilla _____ porque me di un golpe fuerte.

   a. está mareada   c. está roto

   b. no tiene puntos   d. está hinchada

3 Consejos

▶ **Elige** la opción apropiada para completar cada oración.

1. Carolina, para que bajes de peso, _____ beber mucha agua y montar en bici.

   a. les recomiendo   c. me recomienda

   b. te recomiendo   d. les recomienda

2. La mamá de Dolores siempre le aconseja a su hija que _____ mucho cuidado en la calle.

   a. tener   c. tiene

   b. tendría   d. tenga

3. Nuestra maestra siempre _____ que estudiemos las notas culturales.

   a. nos recuerda   c. le recuerda

   b. te recuerdo   d. me recuerda

4. Noé, deberías _____ a un oculista inmediatamente.

   a. ve   c. vayas

   b. ir   d. vas

5. Yo en tu lugar le _____ el coche en vez de la moto.

   a. pedirías   c. pediría

   b. pediríamos   d. pedirían

4 Cuidémonos

▶ **Completa** cada oración con el mandato de la forma *nosotros* del verbo apropiado.

a. practicar	b. estudiar	c. preparar	d. correr	e. levantarse

1. Para el almuerzo, _____ unas empanadas.

2. Para no llegar tarde, _____ más temprano.

3. Para relajarnos, _____ yoga.

4. Para bajar de peso, _____ tres kilómetros diarios.

5. Para estar bien preparados para el examen, _____ más.

Nombre: .... **Clase:** .... **Fecha:** ....

Examen: Unidad 4. Vida sana (págs. 174–227)

Cultura

5 **La nutrición y la salud**

▶ **Completa** las oraciones con las palabras que faltan.

1. La _____ es un plato que se originó en las islas Canarias.

2. La _____ se considera un superalimento por su alto contenido en proteínas y vitaminas.

3. Punta del Este es muy famosa por sus fantásticas _____.

4. Las _____ se utilizan como medida terapéutica para tratar enfermedades de la piel.

5. El _____ fue un alimento esencial para los mayas y los aztecas.

6 **Lugares saludables**

▶ **Responde** a estas preguntas.

1. ¿Dónde se suelen encontrar las aguas termales?

....

2. ¿Cúal es el hospital más antiguo de las Américas? ¿Dónde está?

....

3. ¿Qué país es el líder mundial en donación de órganos?

....

4. ¿Cuáles son los alimentos básicos del mundo hispano?

....

5. ¿Para qué se utilizaban los molinos de viento? ¿En qué región de España se ven con frecuencia?

....

7 En la consulta

▶ **Escucha** este diálogo en la consulta de la doctora Carranza. Después, decide si estas afirmaciones son ciertas (C) o falsas (F).

1. La madre de Gisela lleva a su hija a la consulta de la oculista.　　C　　F

2. Gisela no come bien porque no quiere aumentar de peso.　　C　　F

3. La doctora Carranza recomienda comer hortalizas y frutas.　　C　　F

4. La doctora Carranza sugiere a Gisela que haga ejercicio.　　C　　F

5. Gisela no tiene que volver a la consulta de la doctora.　　C　　F

Hablar

8 ¿Tú te cuidas?

▶ **Habla.** Responde a las preguntas que te plantee tu profesor(a).

	COMMUNICATION	GRAMMAR	VOCABULARY	CONTENT
5	Communication entirely comprehensible; no errors in the message.	No grammatical errors noted.	Wide variety of accurate vocabulary with no errors in expression.	Expanded content relevant; responds completely to the task.
4	Communication comprehensible; message understood.	A few errors in grammar, but not significant to communication.	Accurate vocabulary; adequate for expression.	Content contains some relevant information to the task.
3	Communication almost comprehensible; message somewhat clear.	Several errors in grammar.	Limited vocabulary; several errors in expression.	Limited content. Some information provided with a few details.
1	Not enough communication provided.	Significant errors in grammar structures.	Extremely limited vocabulary inhibits expression.	Limited content. No information provided.

Total _____ / 20

Nombre: _____ Clase: _____ Fecha: _____

Examen: Unidad 4. Vida sana (págs. 174–227)

Leer

 9 **El artículo de hoy**

▶ **Lee** el artículo y completa las oraciones.

SALUD

Alimentos buenos para el cuerpo

Por la doctora Elena Hernández

Hoy les daré algunas recomendaciones sobre alimentos y hábitos saludables. En primer lugar, deben cuidar la dieta. Para ello, sustituyan la mantequilla por el aceite de oliva, reduzcan el consumo de carne roja y coman más pescado. El salmón, por ejemplo, tiene proteínas, hierro y muchas vitaminas. Pueden seguir una dieta rica en vegetales; es nutritiva y tiene menos calorías. Es importante que consuman hortalizas y legumbres porque tienen la fibra que su cuerpo necesita.

Además de mejorar la dieta, es preciso que hagan ejercicio a diario. Les aseguro que si lo hacen, estarán menos estresados. Beban bastante agua; se recomienda beber dos litros de agua al día. También es bueno tomar un poco el sol, pero pónganse siempre crema solar para protegerse.

Finalmente, recuerden que también es importante hacerse una revisión médica al año. Esta revisión debería incluir unos análisis de sangre y un examen físico. También recuerden ir al oculista y al dentista para los exámenes de la vista y de la boca. Si siguen estos consejos, podrán tener una vida más sana.

---

1. La doctora Hernández dice que la gente debe cuidar la _____.

2. Ella recomienda comer _____ porque tiene proteínas y muchas vitaminas.

3. Haciendo ejercicio a diario, la gente estará menos _____.

4. Todos deberían hacerse una _____ al año.

5. No hay que olvidar visitar al dentista y al _____.

10 Por tu salud

▶ **Escribe.** Responde a estas preguntas.

1. ¿Cuándo es necesario hacer una radiografía?

_____

_____

_____

2. ¿Qué objetos de higiene llevas cuando te vas de viaje?

_____

_____

_____

3. ¿Qué le aconsejarías hacer a tu amigo(a) para relajarse?

_____

_____

_____

4. ¿Por qué no es recomendable la comida basura?

_____

_____

_____

5. ¿A qué médico debes visitar si tienes algún problema en los dientes? ¿Con qué frecuencia vas? ¿Te gusta ir? ¿Por qué?

_____

_____

_____

Midterm Exam

Nombre: _____   **Clase:** _____   **Fecha:** _____

Examen: Unidades preliminar, 1, 2, 3 y 4 (págs. 1–227)

Vocabulario

1 Rasgos físicos

▶ **Relaciona** cada imagen con la descripción correspondiente.

_____ 1. Tiene el pelo lacio.

_____ 2. Tiene lunares.

_____ 3. Tiene bigote.

_____ 4. Tiene pecas.

_____ 5. Tiene los ojos almendrados.

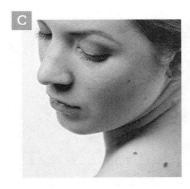
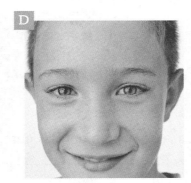

2 Muchas llamadas

▶ **Relaciona** y forma oraciones lógicas.

Ⓐ

_____ 1. Tengo que llamar a la anfitriona

_____ 2. Eva busca un teléfono público

_____ 3. El invitado se disculpó

_____ 4. Ayer me equivoqué

_____ 5. Él envió un mensaje de texto

Ⓑ

a. porque su celular se quedó sin batería.

b. y marqué el número de tu hermano.

c. para darle las gracias.

d. a su novia para pedirle perdón.

e. por llegar tarde a la reunión.

3 **Ropa y casa**

▶ **Elige** la opción apropiada para completar cada oración.

1. Papá, llama al _____ porque se rompió la pared.

    a. albañil   c. plomero

    b. tendedero   d. trapeador

2. Elena compró _____ especial para sus copas de cristal.

    a. una escoba   c. un recogedor

    b. una manga   d. un lavavajillas

3. No puedo usar esos pantalones porque _____ está rota.

    a. la lana   c. el paraguas

    b. la cremallera   d. la manga

4. Mi abuela no tiene secadora, así que yo la ayudo a _____.

    a. lavar los platos   c. tender la ropa

    b. fregar la ropa   d. arreglar la ropa

5. Le gusta esa falda aunque le queda un poco _____.

    a. desatada   c. estrecha

    b. verdosa   d. áspera

4 **La médica**

▶ **Completa** el texto con las palabras del recuadro.

a. diagnóstico   b. eviten   c. pediatra   d. análisis de sangre   e. cuidarse

La médica

Mi prima es (1) _____ en un hospital. Ella cuida mucho

a sus pacientes. A veces les hace un (2) _____ para poder

darles un (3) _____ correcto. Enseña a los niños

a (4) _____ para no enfermar. Les recomienda que hagan

ejercicio y que (5) _____ la comida basura. ¡A veces los

niños les enseñan hábitos saludables a sus padres!

Nombre: .... **Clase:** .... **Fecha:** ....

Examen: Unidades preliminar, 1, 2, 3 y 4 (págs. 1–227)

Gramática

5 **¿Fue o era?**

▶ **Completa** las oraciones con el verbo apropiado en imperfecto o en pretérito.

a. jugar	b. ser	c. escribir	d. hablar	e. estar

1. Ayer mi mamá _____ una carta a su hermana.

2. El año pasado nosotros _____ en Colorado.

3. El perro _____ mucho cuando era pequeño.

4. Mis amigos _____ muy traviesos antes.

5. No sé dónde está Adán porque no _____ con él ayer.

6 **Parece que sí**

▶ **Elige** la forma verbal correcta para completar cada oración.

1. Los pantalones _____ en la secadora.
   - a. se arrugaron
   - b. arrugan
   - c. me arrugaban
   - d. les arrugaran

2. Mis hermanos _____ tanto que a veces los confundo.
   - a. parecían
   - b. les parecieron
   - c. parecen
   - d. se parecen

3. El gato no _____ a saltar del árbol.
   - a. atreve
   - b. se atreve
   - c. te atreve
   - d. atrevía

4. Mi amigo _____ después de que le pedí disculpas.
   - a. se perdonó
   - b. me perdonó
   - c. perdonó
   - d. le perdonó

5. En la reunión, ella y yo _____ vernos de nuevo este miércoles.
   - a. nos acordamos
   - b. me acordamos
   - c. se acordamos
   - d. acordamos

7 Para ti

▶ **Completa** las oraciones con *por* o *para*.

1. Toma esta manzana _____ tu almuerzo.

2. _____ no hacer mucho ruido, me quité los zapatos.

3. Hay que caminar _____ esa calle hasta el semáforo.

4. _____ mí, las películas de terror son las más emocionantes.

5. Tenemos que hacer el proyecto _____ el lunes.

8 Habían vivido

▶ **Completa** las oraciones con el verbo entre paréntesis en pluscuamperfecto.

1. Ayer mi amiga ya _____ su ropa.
   (planchar)

2. Ellos todavía no me _____ el mensaje.
   (dejar)

3. Cuando te llamé, ya _____ a tu mamá.
   (ver)

4. Ayer el carpintero todavía no _____ los muebles.
   (arreglar)

5. Nosotros _____ la tienda cuando ocurrió el accidente.
   (abrir)

9 Lo recomendable

▶ **Elige** la forma verbal correcta para completar cada oración.

1. Es aconsejable que _____ ejercicio todos los días.
   a. hacer   b. hagas   c. haces   d. hicieras

2. Debemos _____ el pollo al horno en vez de freírlo.
   a. cocinar   b. cocinemos   c. cocinamos   d. cocinaríamos

3. Es sorprendente que tu hermana _____ tan buenas notas siempre.
   a. sacar   b. saca   c. sacó   d. saque

4. Mi mamá me recomienda _____ la cantidad de azúcar que tomo.
   a. reducir   b. reduzca   c. redujera   d. reduzco

5. Es necesario que ellos _____ las escaleras rápidamente.
   a. reparar   b. reparan   c. repararían   d. reparen

Nombre: .... Clase: .... Fecha: ....

Examen: Unidades preliminar, 1, 2, 3 y 4 (págs. 1–227)

Cultura

10 **Una red de ideas**

▶ **Escribe.** Completa el diagrama con información sobre cada categoría.

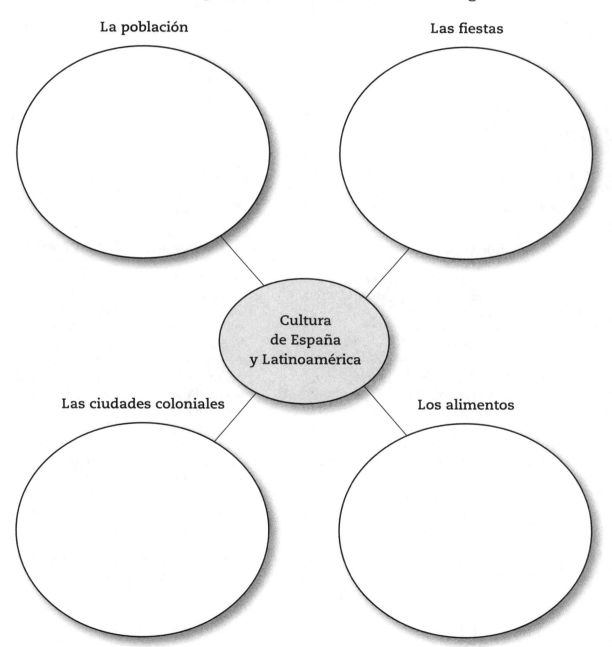

La población

Las fiestas

Cultura
de España
y Latinoamérica

Las ciudades coloniales

Los alimentos

11 Mi vida en familia

▶ **Escucha** a Daniel Sánchez y completa las oraciones.

1. En su juventud, Daniel nunca pensó en _____.

2. Desde el día que conoció a Sara, ella se convirtió en _____ de su vida.

3. Por la salud de Luis, Daniel y Sara siguen una dieta _____.

4. A Luis le gusta que su padre sea psicólogo y _____.

5. Daniel dice que estará enamorado de Sara hasta _____.

Hablar

12 Ponte a prueba

▶ **Habla.** Responde a las preguntas que te plantee tu profesor(a).

	COMMUNICATION	GRAMMAR	VOCABULARY	CONTENT
5	Communication entirely comprehensible; no errors in the message.	No grammatical errors noted.	Wide variety of accurate vocabulary with no errors in expression.	Expanded content relevant; responds completely to the task.
4	Communication comprehensible; message understood.	A few errors in grammar, but not significant to communication.	Accurate vocabulary; adequate for expression.	Content contains some relevant information to the task.
3	Communication almost comprehensible; message somewhat clear.	Several errors in grammar.	Limited vocabulary; several errors in expression.	Limited content. Some information provided with a few details.
1	Not enough communication provided.	Significant errors in grammar structures.	Extremely limited vocabulary inhibits expression.	Limited content. No information provided.

Total _____ / 20

Nombre: _____ **Clase:** _____ **Fecha:** _____

Examen: Unidades preliminar, 1, 2, 3 y 4 (págs. 1–227)

Leer

13 Desaparecido

▶ **Lee** la noticia y elige las opciones correctas.

La Prensa Internacional, 18 de febrero de 2012   **SUCESOS**

Desaparecido en el Parque del Norte

Anoche, a las 8:00 p. m., el señor Francisco Lozano, de 48 años de edad, desapareció en el Parque del Norte. La última persona que lo vio fue su esposa, Julia García. Ella dio la siguiente descripción a la policía local: «Francisco es calvo y tiene barba, bigote y una cicatriz en la mejilla. Es de estatura mediana y pesa 72 kilos».

Según la declaración de la señora García, su esposo siempre lleva su celular, pero nadie se ha podido comunicar con él porque no contesta. Julia también dijo que él es un hombre amable y bondadoso, y que nunca llega tarde a casa. Es urgente encontrar al señor Lozano, pues se fue de casa sin sus medicamentos. Él está enfermo del corazón y es preciso que tome sus píldoras.

El señor Lozano iba todas las tardes al parque para correr. Las autoridades aconsejan a los ciudadanos que tengan cuidado y que no vayan al parque después de anochecer porque puede ser peligroso. La familia del señor Lozano está muy preocupada y pide a los ciudadanos que se comuniquen con las autoridades si saben algo de esta desaparición.

---

1. Al señor Lozano le gusta _____ en el parque.

   a. jugar al fútbol   b. nadar   c. hacer ejercicio

2. El señor Lozano tiene _____ en la mejilla.

   a. el pelo lacio   b. una cicatriz   c. un lunar

3. _____ del desaparecido habló con las autoridades.

   a. La madre   b. La cuñada   c. La esposa

4. Según Julia, el señor Lozano es un hombre _____.

   a. bondadoso   b. egoísta   c. chismoso

5. El señor Lozano tiene que tomar sus _____.

   a. análisis   b. radiografías   c. medicamentos

14 **En tu vida**

▶ **Escribe.** Responde a estas preguntas.

1. En los últimos meses, ¿cuáles han sido tus tareas domésticas en casa?

2. ¿De qué color, material y textura es tu traje o vestido favorito?

3. ¿Cómo fue tu infancia y cómo es tu adolescencia ahora?

4. ¿Qué es necesario para tener una buena amistad?

5. ¿Qué hábitos son necesarios para tener una vida saludable?

Nombre: _____ **Clase:** _____ **Fecha:** _____

Prueba: Desafío 1 (págs. 234–245)

Vocabulario

1 **Profesionales**

▶ **Relaciona** a cada profesional con la imagen correspondiente.

_____ 1. la jueza

_____ 2. el periodista

_____ 3. el presidente

_____ 4. la comerciante

_____ 5. el farmacéutico

2 **¿En qué trabajan?**

▶ **Completa** las oraciones con las palabras del recuadro.

a. científico	b. empresaria	c. traductor	d. coordinadora	e. funcionario

1. El profesor de Francés de mi escuela también es _____.

2. Olivia sabe organizar todo tipo de eventos. Es una gran _____.

3. Javier Longoria descubrió una proteína nueva. ¡Qué _____ tan brillante!

4. La señora Ramos ganó un premio por ser la mejor _____ del año.

5. Jesús Díaz trabaja para el gobierno. Es _____.

3 Es cierto que...

▶ **Relaciona** y forma oraciones lógicas.

A	B
_____ 1. Es cierto que tus amigas	a. vengan aquí a causar problemas.
_____ 2. No es verdad que ellos	b. es el mejor estudiante de la clase.
_____ 3. Es obvio que Antonio	c. escriba el informe que prometió.
_____ 4. Dudo que Anabel	d. tengamos que viajar mañana.
_____ 5. Es posible que nosotros	e. tienen prisa por terminar la tarea.

4 ¡Cuántas cosas querían!

▶ **Elige** la forma verbal correcta para completar cada oración.

1. El profesor de Español quería que yo _____ un texto de 300 palabras.

   a. escribe   b. escribió   c. escriba   d. escribiera

2. Su padre siempre les aconsejaba que no _____ tarde a ningún sitio.

   a. llegaron   b. llegan   c. lleguen   d. llegaran

3. Me molestó que me _____ después de las 10:00 p. m.

   a. llamas   b. llamaras   c. llamaste   d. llamaba

4. La profesora nos aconsejó que _____ el vocabulario.

   a. estudien   b. estudiamos   c. estudiáramos   d. estudian

5. Ella no quería que José _____ tantos refrescos.

   a. bebiera   b. bebía   c. bebe   d. bebió

5 ¿Subjuntivo o indicativo?

▶ **Completa** las oraciones con los verbos en subjuntivo o en indicativo.

1. Es evidente que los precios en esta tienda _____ muy altos.
   (ser)

2. Eugenia deseaba que nosotros _____ en su fiesta de cumpleaños.
   (cantar)

3. Es improbable que tú _____ esa cantidad de leche.
   (beber)

4. No creo que Mariela _____ a trabajar esta semana.
   (venir)

5. Mis amigos querían que yo _____ al cine con ellos.
   (ir)

Nombre: _____   **Clase:** _____   **Fecha:** _____

Prueba: Desafío 2 (págs. 246–257)

Vocabulario

1 **En la oficina**

▶ **Elige** la opción apropiada para completar cada oración.

1. El gerente de la compañía no ha firmado el _____.
   - a. reproductor
   - b. sueldo
   - c. ratón
   - d. contrato

2. Tengo muchas clases, por eso solo puedo trabajar _____.
   - a. con la computadora
   - b. organizando documentos
   - c. media jornada
   - d. a jornada completa

3. Aceptó el trabajo porque _____ es muy bueno.
   - a. el sueldo
   - b. el ratón
   - c. el teclado
   - d. el reproductor

4. Para poder hacer todas mis tareas, debo ser muy _____.
   - a. amable
   - b. organizado
   - c. emprendedor
   - d. ambicioso

5. Debes demostrar que eres eficiente para poder _____.
   - a. ascender
   - b. guardar
   - c. abrir
   - d. navegar

2 **Buenos trabajadores**

▶ **Completa** las oraciones con las palabras del recuadro.

a. organizado   b. emprendedor   c. responsable   d. ambicioso   e. amable

1. Javier siempre cumple con su trabajo. Él es muy _____.

2. Si eres _____, puedes realizar varias tareas al mismo tiempo.

3. El gerente de la tienda quiere ascender. Él es muy _____.

4. Ramiro es _____ porque siempre busca nuevos negocios.

5. Aquel empleado es muy _____ con todos los clientes.

3 **Descripciones**

▶ **Elige** la forma verbal correcta para completar cada oración.

1. Todos los empresarios quieren empleados que _____ responsables.

   a. es   c. eran

   b. son   d. sean

2. Aquella gerente tiene una impresora que _____ muy rápido.

   a. impriman   c. imprimió

   b. imprima   d. imprime

3. Tengo un televisor que _____ una pantalla muy grande.

   a. tienen   c. tiene

   b. tengas   d. tenga

4. Conozco a un diseñador gráfico que _____ muy creativo.

   a. sea   c. es

   b. fue   d. sería

5. No hay ningún periodista que no _____ escribir un reportaje tan interesante.

   a. quiera   c. quiso

   b. quiere   d. quería

4 **¡Artículos!**

▶ **Completa** las oraciones con los artículos definidos correctos (el, la, los, las).

1. _____ problema de Juan es que es muy tímido.

2. _____ gerente de la empresa no es muy organizada.

3. _____ aguas del Río Grande vienen del norte, de las montañas.

4. _____ diagramas no son correctos.

5. _____ artista que pintó este cuadro es muy creativo.

6. Pedro consiguió un trabajo excelente por _____ idiomas que habla.

7. _____ empresa de su familia tiene más de mil trabajadores.

8. Algunos obreros protestaron por _____ malas condiciones de trabajo.

9. _____ nueva traductora firmó ayer su contrato.

10. _____ bombero se convirtió en un héroe para todos.

Nombre: ....   **Clase:** ....   **Fecha:** ....

Prueba: Desafío 3 (págs. 258–269)

Vocabulario

1 **Por un mundo mejor**

▶ **Relaciona** y forma oraciones lógicas.

Ⓐ

_____ 1. En algunos países no se respetan

_____ 2. Ellos cooperan en varios proyectos

_____ 3. La tolerancia es fundamental

_____ 4. Pablo está en África y trabaja como

_____ 5. Es muy importante

Ⓑ

a. proteger el medio ambiente.

b. de su comunidad.

c. cooperante.

d. los derechos humanos.

e. para la convivencia.

2 **Todos cooperamos**

▶ **Elige** la opción apropiada para completar cada oración.

1. Ellos cumplen con sus deberes y son _____ comprometidos.

    a. ciudadanos   c. derechos humanos

    b. tolerantes   d. organizaciones

2. Ernesto colabora con una _____ que ayuda a las personas con pocos recursos.

    a. convivencia   c. integración

    b. organización   d. solidaridad

3. Respetar a los demás es fundamental para _____ en paz.

    a. convivir   c. proteger

    b. atender   d. los deberes

4. El verano pasado Adriana trabajó como _____ en una organización.

    a. solidaridad   c. comprometida

    b. integridad   d. voluntaria

5. _____ el medio ambiente es una responsabilidad de todos.

    a. Cooperar   c. Proteger

    b. Colaborar   d. Convivir

3 Aunque sea difícil...

▶ **Relaciona** y forma oraciones lógicas.

Ⓐ

_____ 1. No comprará esa casa tan cara,

_____ 2. Sacaba buenas notas,

_____ 3. No iré al concierto,

_____ 4. Fuimos a la playa,

_____ 5. No dirán que están cansados,

Ⓑ

a. a pesar de que estaba nublado.

b. aunque sea muy rico.

c. aunque tengan mucho sueño.

d. a pesar de que no hacía las tareas.

e. aunque me pagues el boleto.

4 Mis sentimientos

▶ **Elige** la forma verbal correcta para completar cada oración.

1. Me emocionó que mis hermanos se _____ en la Universidad de Salamanca.

   a. gradúen   c. graduaremos
   b. gradúan   d. graduaran

2. Me da miedo que tu hermanito _____ solo a la tienda.

   a. ir   c. vaya
   b. va   d. fue

3. Nos alegró que los profesores de nuestra escuela _____ el premio.

   a. ganaron   c. ganarán
   b. ganaran   d. ganan

4. Me sorprendió que mis compañeros _____ mi cumpleaños.

   a. recuerden   c. recordarán
   b. recordaban   d. recordaran

5. Me da pena que su novio no _____ con ella el día de su aniversario.

   a. cenara   c. cenaba
   b. cena   d. cenará

Prueba: Desafíos 1–3 (págs. 234–269)

Vocabulario

1 Asociaciones

▶ **Relaciona** cada elemento o persona con un grupo de palabras.

Ⓐ

_____ 1. la computadora

_____ 2. el voluntario

_____ 3. la tecnología

_____ 4. el empleado

_____ 5. la periodista

Ⓑ

a. la jornada completa, el sueldo, el contrato

b. la pantalla, el ratón, el teclado

c. investiga, informa, escribe

d. colaborador, solidario, comprometido

e. la computadora, la fotocopiadora, la impresora

2 Cuestiones laborales

▶ **Elige** la opción apropiada para completar cada oración.

1. Mi tío trabaja media jornada, unas _____ horas por semana.

a. 35
b. 20
c. 40
d. 45

2. Antonio apaga fuegos y salva vidas. Él es _____.

a. juez
b. comerciante
c. diseñador
d. bombero

3. Para abrir un documento tienes que clicar dos veces con _____.

a. el ratón
b. la impresora
c. la pantalla
d. el reproductor de CD

4. Los diseñadores gráficos deben ser _____.

a. voluntarios
b. celosos
c. creativos
d. amables

5. Andrea siempre está ayudando a los demás. Ella es muy _____.

a. solidaria
b. ambiciosa
c. emprendedora
d. exigente

3 Necesito...

▶ **Relaciona** y forma oraciones lógicas.

Ⓐ   Ⓑ

_____ 1. Marta tiene un hermano   a. que pueden ayudarte con el programa.

_____ 2. Necesito a alguien   b. que es experto en computadoras.

_____ 3. Estos son los jóvenes   c. que hablara dos idiomas.

_____ 4. No hay computadoras   d. que quiera trabajar de noche.

_____ 5. Ellos buscaban a alguien   e. que lean el pensamiento.

4 Muchos obstáculos

▶ **Elige** la forma verbal correcta para completar cada oración.

1. Aunque _____, Lucía no recibirá el premio el jueves.

   a. quiera   b. querer   c. querido   d. quiso

2. Aunque _____ cansado, Víctor lavó el coche ayer.

   a. esté   b. estaré   c. estaba   d. estuvimos

3. A pesar de que _____ pequeño, Jaime ayuda mucho en casa.

   a. es   b. fuera   c. será   d. ser

4. Aunque no le _____, mi hermana cocina muy bien.

   a. gustar   b. guste   c. gustará   d. gustamos

5. Aunque no _____ hacerlo, lo voy a intentar.

   a. supiera   b. sepa   c. saber   d. supieron

5 Sentimientos y dificultades

▶ **Completa** las oraciones con los verbos del recuadro en imperfecto de indicativo o de subjuntivo.

a. aprender	b. querer	c. poder	d. recibir	e. tener

1. A pesar de que él _____ mucho dinero, no pudo comprar el avión.

2. Me preocupaba que tú no _____ buenas noticias de tu familia.

3. Nos dio pena que los inmigrantes no _____ trabajar.

4. Al profesor le fascinaba que los estudiantes _____ tan deprisa.

5. Aunque Anita _____ ir a tu fiesta, no llegaría a tiempo.

Nombre: .... **Clase:** .... **Fecha:** ....

Examen: Unidad 5. ¿Trabajas? (págs. 228–281)

1 ¿Quién es quién?

▶ **Relaciona** cada imagen con una oración.

A

B

C

D

E

_____ 1. María y Alberto están diseñando una escuela. Ellos son arquitectos.

_____ 2. Alina es contadora en una empresa. Ella es muy buena con los números.

_____ 3. Manuel es bombero. Él apaga incendios y salva vidas.

_____ 4. Teresa es periodista. Ella está haciendo una investigación en Guatemala.

_____ 5. Jaime y Boris son obreros. Ellos trabajan en una fábrica de coches.

2 Cosas importantes

▶ **Completa** las oraciones con las palabras del recuadro.

| a. ascender | b. salario | c. proteger | d. voluntario | e. reproductor de CD |

1. Delia trabaja como directora y tiene un buen _____.

2. Armando trabaja como _____ en proyectos de su comunidad.

3. Para mi trabajo necesito una computadora que tenga _____.

4. Él es ambicioso y quiere _____ a un puesto con más responsabilidad.

5. Todos debemos _____ el medio ambiente.

3 Consejos

▶ **Elige** la forma verbal correcta para completar cada oración.

1. El médico me aconsejó que _____ ejercicio a diario.

   a. hago   c. hiciera

   b. hagas   d. hace

2. La profesora nos pidió que _____ todos los libros a la clase.

   a. trajéramos   c. traigas

   b. trajeras   d. traigo

3. Era necesario que tú _____ ese trabajo a tiempo.

   a. terminas   c. termine

   b. terminara   d. terminaras

4. Yo no sabía que esa investigación _____ tan importante.

   a. eres   c. eran

   b. fuera   d. son

5. Un amigo les aconsejó que _____ más pescado.

   a. comen   c. come

   b. comieran   d. comas

4 ¡Cuántos artículos!

▶ **Elige** el artículo correcto para completar cada oración.

1. Hoy voy a estrenar _____ pijama que me regalaste.

   a. las   b. los   c. la   d. el

2. Me gustan mucho _____ fotografías donde estás con tu abuelo.

   a. los   b. las   c. el   d. la

3. _____ agentes de policía son altos y fuertes.

   a. Las   b. El   c. La   d. Los

4. Las flores cubren _____ área norte del parque.

   a. las   b. los   c. el   d. la

5. Aquí dice que _____ modelo también es actriz.

   a. los   b. el   c. la   d. las

Nombre: .... **Clase:** .... **Fecha:** ....

Examen: Unidad 5. ¿Trabajas? (págs. 228–281)

Cultura

5 **Historia y actualidad**

▶ **Responde** a estas preguntas.

1. ¿Quién fue César Chávez?

   _____

   _____

   _____

2. ¿Qué astronautas hispanos conoces?

   _____

   _____

   _____

3. ¿Cuál es el periódico en español más antiguo de los Estados Unidos?

   _____

   _____

   _____

4. ¿Qué son Univisión y Telemundo?

   _____

   _____

   _____

5. ¿Qué es el turismo sostenible?

   _____

   _____

   _____

6 Los trabajos de Cristina

▶ **Escucha** a Cristina Rodríguez y decide si estas afirmaciones son ciertas (C) o falsas (F).

1. En la actualidad, Cristina Rodríguez es diseñadora gráfica.	C	F
2. De joven, Cristina sabía cuál iba a ser su profesión.	C	F
3. El primer empleo de Cristina no era muy creativo.	C	F
4. Cristina descubrió su futuro navegando por Internet.	C	F
5. Además de realizar su trabajo, Cristina es voluntaria en África.	C	F

Hablar

7 Mi profesión

▶ **Habla** sobre el tema o la situación que te plantee tu profesor(a).

	COMMUNICATION	**GRAMMAR**	**VOCABULARY**	**CONTENT**
5	Communication entirely comprehensible; no errors in the message.	No grammatical errors noted.	Wide variety of accurate vocabulary with no errors in expression.	Expanded content relevant; responds completely to the task.
4	Communication comprehensible; message understood.	A few errors in grammar, but not significant to communication.	Accurate vocabulary; adequate for expression.	Content contains some relevant information to the task.
3	Communication almost comprehensible; message somewhat clear.	Several errors in grammar.	Limited vocabulary; several errors in expression.	Limited content. Some information provided with a few details.
1	Not enough communication provided.	Significant errors in grammar structures.	Extremely limited vocabulary inhibits expression.	Limited content. No information provided.

Total _____ / 20

Nombre: _____ Clase: _____ Fecha: _____

Examen: Unidad 5. ¿Trabajas? (págs. 228–281)

Leer

8 **La carta de Lucía**

▶ **Lee** la carta de Lucía y completa las oraciones.

Queridos amigos:

¡Estoy orgullosa de nuestra comunidad! Hace seis meses se puso en marcha un proyecto para promover en ella la tolerancia y la solidaridad. Primero, se eligió a una directora y a un coordinador para organizar el proyecto. Luego, se pidió la ayuda de todos los ciudadanos, sin importar la profesión que tuvieran. Nosotros, los estudiantes, también quisimos ayudar en lo que necesitara el equipo. Algunos buscamos información en Internet sobre proyectos semejantes al nuestro; otros se dedicaron a hacer folletos sobre la importancia de respetar y apoyar a los inmigrantes.

La directora del proyecto nos explicó lo difícil que es para las personas que llegan al país adaptarse e integrarse en la sociedad. Todos aprendimos por qué es necesario respetar las costumbres de otras culturas y convivir en paz. Ser tolerantes y solidarios es un deber de todos los ciudadanos.

Como parte del proyecto, organizamos grupos de voluntarios y ya se han incorporado muchos profesionales a nuestras actividades. Un abogado informará a los inmigrantes sobre sus derechos. Los profesores ayudarán a los chicos a aprender el idioma. Y el coordinador del proyecto conoce a un periodista que hará un reportaje para el periódico local. De esta forma, otras comunidades de la ciudad podrán conocer el proyecto.

Estoy segura de que, con la colaboración y el esfuerzo de todos, nuestro proyecto de integración será un éxito.

Un abrazo.

Lucía

1. Para organizar el proyecto, eligieron a una directora y a _____.

2. Ser tolerantes y solidarios es un deber de todos los _____.

3. Algunos estudiantes buscaron información en _____ sobre proyectos semejantes.

4. Todos aprendieron sobre la importancia de _____ en paz.

5. Seguro que, con la _____ de todos, el proyecto será un éxito.

9 **¿Trabajas?**

▶ **Escribe.** Responde a estas preguntas.

1. ¿Qué profesión quieres tener en el futuro?

_____

_____

_____

_____

2. ¿Cómo debe ser el gerente de una empresa?

_____

_____

_____

_____

3. ¿Qué hacen los periodistas?

_____

_____

_____

_____

4. ¿Qué tipo de jornada laboral prefieres?

_____

_____

_____

_____

5. ¿Te gustaría trabajar como voluntario? ¿Por qué?

_____

_____

_____

_____

Unidad 6 Tus aficiones

Nombre: .... **Clase:** .... **Fecha:** ....

Prueba: Desafío 1 (págs. 288–299)

Vocabulario

1 Parejas

▶ **Relaciona** y forma parejas lógicas.

Ⓐ	Ⓑ
_____ 1. el actor	a. el pasillo
_____ 2. la taquilla	b. la audiencia
_____ 3. el escenario	c. el protagonista
_____ 4. el público	d. el telón
_____ 5. la butaca	e. el boleto

2 De película

▶ **Elige** la opción apropiada para completar cada oración.

1. A Belén no le gustan _____ de terror.

   a. las taquillas   c. la ópera

   b. las películas   d. los conciertos

2. Para no tener que esperar en _____, compramos los boletos por Internet.

   a. el escenario   c. la fila

   b. la butaca   d. el telón

3. En la película, _____ se enamoran y se casan.

   a. los protagonistas   c. los pasillos

   b. los musicales   d. los escenarios

4. _____ aplaudió muchísimo a los bailarines del *ballet*.

   a. El telón   c. El público

   b. El musical   d. El estreno

5. La obra _____ en el teatro más grande de la ciudad.

   a. se aplaudirá   c. se comprará

   b. se reservará   d. se estrenará

3 **No creo que...**

▶ **Elige** la forma verbal correcta para completar cada oración.

1. Yo pienso que el Galaxia _____ el mejor equipo de fútbol.

   a. sea b. es c. son d. sean

2. No creo que el profesor _____ enojado con nosotros.

   a. está b. estaría c. estamos d. esté

3. A ella le parece que Alberto _____ hacer ese trabajo.

   a. pueda b. podemos c. puede d. puedes

4. Tú opinas que los jugadores _____ poco.

   a. entrenan b. entrenas c. entrena d. entrenen

5. No creo que ustedes _____ la casa hoy.

   a. limpian b. limpien c. limpio d. limpiarán

4 **¿Podrías?**

▶ **Completa** las oraciones con las formas verbales del recuadro.

a. querían b. gustaría c. podrías d. podrían e. quería

1. Yo _____ información sobre los vuelos a Nueva York.

2. Mabel, ¿_____ prestarme un abrigo?

3. Nos _____ visitar el Museo de Arte Popular.

4. Chicos, ¿_____ venir aquí un momento?

5. Ellos _____ comprar dos bicicletas.

5 **Opiniones**

▶ **Completa** las oraciones con los verbos entre paréntesis en indicativo o subjuntivo.

1. Me parece que tu hermano _____ el helado de fresa.
   (preferir)

2. Supongo que tu amiga Elena _____ muy bien.
   (bailar)

3. Tú no crees que yo _____ todos los días, pero es verdad.
   (estudiar)

4. Los profesores opinan que los chicos _____ bien.
   (cantar)

5. No me parece que la película _____ interesante.
   (ser)

Nombre: .... Clase: .... Fecha: ....

Prueba: Desafío 2 (págs. 300–311)

1 **Competencias**

▶ **Relaciona** cada imagen con el evento correcto.

_____ 1. regata de vela

_____ 2. partido de béisbol

_____ 3. carrera de ciclismo

_____ 4. competencia de esquí acuático

_____ 5. competencia de natación

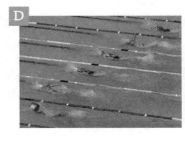

2 **De deportes**

▶ **Completa** las oraciones con las palabras del recuadro.

a. empate	b. vela	c. atletas	d. aficionados	e. campeones

1. Mis amigos y yo somos _____ al fútbol. ¡Nos encanta!

2. En los Juegos Olímpicos participan muchos _____.

3. Mañana por la tarde será la regata de _____.

4. Mi equipo de ciclismo ganó la carrera. ¡Somos los _____ nacionales!

5. El marcador está cero a cero. Hay un _____.

3 Tal vez

▶ **Elige** la forma verbal correcta para completar cada oración.

1. ¡Qué elegante va hoy Elena! _____ a alguna fiesta después del trabajo.

   a. Vaya   b. Irá   c. Iría   d. Ve

2. Tal vez Alicia _____ acompañarme al concierto.

   a. querer   b. quiero   c. queremos   d. quiera

3. A lo mejor Lorena y yo _____ a estudiar a la biblioteca al salir de la escuela.

   a. va   b. vaya   c. vamos   d. vayamos

4. Le escribí una carta a Guillermo para _____ por su hermano.

   a. pregunte   b. preguntara   c. preguntar   d. pregunta

5. Ayudo en casa para que mi mamá _____ contenta.

   a. esté   b. estar   c. está   d. estaba

4 Diálogos

▶ **Completa** los diálogos con los verbos entre paréntesis en la forma correcta.

1. —Profesora, ¿por qué nos lleva a la biblioteca?

   —Los llevo para que _____ allí.
   (estudiar)

2. —Papá, ¿para qué compras ese libro?

   —Lo compro para que tú lo _____.
   (leer)

3. —Mamá, ¿por qué preparas una ensalada ahora?

   —La estoy preparando para que tú

   y tu hermano _____.
   (cenar)

4. —Abuela, ¿para qué nos llamas?

   —Los llamo para que _____ esta película conmigo.
   (ver)

5. —Amor, ¿por qué me regalas este anillo?

   —Te lo regalo para que lo _____ todos los días.
   (llevar)

Nombre: _____   Clase: _____   Fecha: _____

Prueba: Desafío 3 (págs. 312–323)

Vocabulario

1 **Vámonos de viaje**

▶ **Completa** las oraciones con las palabras del recuadro.

a. retraso	1. Llegué en taxi a _____.
b. la línea aérea	2. Fui al mostrador de _____ y me dieron mi tarjeta de embarque.
c. la terminal	3. El vuelo salió con tres horas de _____.
d. el control de pasaportes	4. No conseguí _____, así que tuve que hacer escala dos veces.
e. un vuelo directo	5. Cuando llegué a Uruguay, mostré mis documentos en _____.

2 **Viajes**

▶ **Elige** la opción apropiada para completar cada oración.

1. El vuelo de Gabriela sale de _____ a las 8 de la mañana.
   a. la línea aérea   c. la terminal 2
   b. el mostrador   d. el vuelo nacional

2. El vuelo 1509 _____ Buenos Aires saldrá con retraso.
   a. procedente a   c. bien situado
   b. procedente de   d. con destino a

3. Debes mostrar tu _____ antes de subir al avión.
   a. tarjeta de embarque   c. vuelo nacional
   b. control de pasaportes   d. viaje organizado

4. Las habitaciones de este _____ son muy elegantes.
   a. mostrador   c. pasaporte
   b. pensión   d. hotel

5. No olviden confirmar _____ antes de la fecha de salida del vuelo.
   a. la fecha de entrada   c. la demora
   b. su reserva   d. la plaza disponible

3 Estilo indirecto

▶ **Elige** la oración en estilo indirecto que corresponda en cada caso.

_____ 1. Marisa le dice a Gerardo: «¡Compra fruta!».

a. Le dice que compra fruta.   c. Le dice que compre fruta.

b. Le dice que compró fruta.   d. Le dice que comprará fruta.

_____ 2. Brenda comentó: «No tengo interés en ese libro».

a. Comentó que no tenga interés.   c. Comentó que no tendrá interés.

b. Comentó que no tuvo interés.   d. Comentó que no tenía interés.

_____ 3. El profesor les dice a los estudiantes: «¡Estudien mucho!».

a. Les dice que estudien mucho.   c. Les dice que estudiaron mucho.

b. Les dice que estudian mucho.   d. Les dice que estudiaban mucho.

_____ 4. Julia le dijo a Enrique: «¡Guarda los juguetes!».

a. Le dijo que guardara los juguetes.   c. Le dijo que guardó los juguetes.

b. Le dijo que guarde los juguetes.   d. Le dijo que guardará los juguetes.

_____ 5. El guía dijo: «Los mayas vivieron en Centroamérica».

a. Dijo que vivirán en Centroamérica.   c. Dijo que vivieron en Centroamérica.

b. Dijo que viven en Centroamérica.   d. Dijo que vivieran en Centroamérica.

4 Donde y adonde

▶ **Elige** la expresión de lugar apropiada para completar cada oración.

1. Mis abuelos nos llevarán de vacaciones _____ fuimos
   el verano pasado.   (adonde / donde)

2. El Zócalo de Ciudad de México está _____ antes estaba
   el Templo Mayor de los aztecas.   (desde donde / donde)

3. Para ir al museo tendremos que pasar _____ están la catedral
   y el ayuntamiento.   (adonde / por donde)

4. Subiré al piso más alto de ese edificio, _____ se ve toda
   la ciudad.   (desde donde / adonde)

5. El banco está _____ estaba la iglesia hace años.
              (desde donde / donde)

Nombre: .... **Clase:** .... **Fecha:** ....

Prueba: Desafíos 1–3 (págs. 288–323)

Vocabulario

1 Tiempo libre

▶ **Elige** la opción apropiada para completar cada oración.

1. Tu equipo de baloncesto va a participar en el _____ nacional.
   - a. ganador
   - b. tanteo
   - c. campeonato
   - d. marcador

2. Me gusta ir al cine a ver _____.
   - a. películas cómicas
   - b. vuelos internacionales
   - c. el estadio
   - d. los aficionados

3. No sé si necesito _____ para ir a ese país.
   - a. fecha de entrada
   - b. temporada baja
   - c. visa
   - d. pensión

4. Cuando viajo en avión, me gusta estar cerca _____.
   - a. del protagonista
   - b. del pasillo
   - c. de la pensión
   - d. del control de pasaportes

5. Ese hotel es caro porque _____.
   - a. tiene marcador
   - b. es una pensión
   - c. tiene mostrador
   - d. está bien situado

2 Trabajo y ocio

▶ **Completa** las oraciones con las palabras del recuadro.

| a. función | b. de negocios | c. aficionados | d. procedente | e. carrera |

1. El gerente va a Colombia en un viaje _____.

2. Mi primo participará en una _____ de ciclismo mañana.

3. Voy con mis amigos a la _____ de las seis de la tarde.

4. En el estadio había muchos _____ del equipo visitante.

5. Todos estaban esperando el vuelo _____ de Italia.

3 A lo mejor

▶ **Relaciona** y forma oraciones lógicas.

Ⓐ

_____ 1. A lo mejor Juan y yo

_____ 2. A lo mejor tú

_____ 3. Tal vez Cecilia

_____ 4. Quizás ellos

_____ 5. Tal vez nosotros

Ⓑ

a. te visite pasado mañana.

b. estén en la piscina.

c. organicemos una fiesta.

d. compramos los boletos.

e. haces bien el examen.

4 Preguntas

▶ **Elige** la respuesta más lógica para cada pregunta.

1. ¿Por dónde se va al museo?
   a. Adonde quieran ir.
   b. Donde viven mis amigos.
   c. Por la calle Central.

2. ¿Adónde vas?
   a. Voy adonde fuimos ayer.
   b. Vengo de la escuela.
   c. Desde donde estoy.

3. ¿Puedo ayudarla?
   a. Sí, me gustaría hacer una reserva.
   b. Sí, hago una reserva.
   c. Sí, me gusta hacer una reserva.

4. ¿De dónde vienes?
   a. De lunes a jueves.
   b. Siga por la calle Central.
   c. De donde estuvimos ayer.

5. ¿Qué desea?
   a. Quería comprar una camisa.
   b. Quise comprar una camisa.
   c. Querré comprar una camisa.

Nombre: ....   **Clase:** ....   **Fecha:** ....

Examen: Unidad 6. Tus aficiones (págs. 282–335)

Vocabulario

1 Mis aficiones

▶ **Relaciona** y forma oraciones lógicas.

Ⓐ	Ⓑ
_____ 1. Estamos esperando el vuelo	a. saber qué películas estrenan.
_____ 2. Jorge decidió alojarse	b. derrotó al equipo local.
_____ 3. Para subir al avión, necesito	c. la tarjeta de embarque.
_____ 4. Reviso la cartelera para	d. procedente de Londres.
_____ 5. El equipo visitante	e. en una pensión.

2 Opciones

▶ **Elige** la opción apropiada para completar cada oración.

1. Elvira compró su boleto en el _____ de la línea aérea.

    a. visado   c. vuelo internacional

    b. viaje organizado   d. mostrador

2. En las funciones de _____ a veces participan animales.

    a. circo   c. concierto

    b. *ballet*   d. cancha

3. Al final del primer tiempo el _____ estaba en 0-0.

    a. partido   c. perdedor

    b. marcador   d. ganador

4. No compramos los boletos porque la _____ era muy larga.

    a. sala de cine   c. fila

    b. cancha   d. butaca

5. El vuelo con destino a París saldrá con _____.

    a. el viaje organizado   c. el mostrador

    b. retraso   d. vuelo directo

3 **¿Para qué?**

▶ **Completa** las oraciones con el infinitivo o el subjuntivo de los verbos entre paréntesis.

1. Vengo a traerte una ensalada para que _____.
   (cenar)

2. Entreno todos los días para _____ en las competencias.
   (participar)

3. Estudiamos mucho para _____ buenas notas.
   (sacar)

4. Nicolás me llama para que le _____ la tarea.
   (explicar)

5. Ahora voy a tu casa a _____ los libros.
   (llevar)

4 **Oraciones incompletas**

▶ **Elige** la forma verbal correcta para completar cada oración.

1. Este verano vamos de vacaciones adonde mis padres _____.
   a. decidirán   c. decidan
   b. deciden   d. decidimos

2. El profesor comentó que ayer _____ una exposición interesante en un museo del centro.
   a. había   c. hay
   b. habrá   d. habría

3. Quiero comprar una casa por donde _____ mis abuelos.
   a. vivan   c. vivimos
   b. vivirían   d. viven

4. Tal vez Santiago _____ todo el día mañana.
   a. trabajan   c. trabajas
   b. trabajo   d. trabaje

5. Sofía le dijo a Manuela que _____ a almorzar a su casa.
   a. ir   c. fuera
   b. vaya   d. ven

          Assessments Blackline Master Español Santillana. ® Santillana USA

Nombre: _____ **Clase:** _____ **Fecha:** _____

Examen: Unidad 6. Tus aficiones (págs. 282–335)

Cultura

5 Muy cultural

▶ **Completa** las oraciones con las palabras del recuadro.

a. películas extranjeras   b. triángulo olímpico   c. espectáculos
d. cine   e. mochica

1. En San Sebastián se celebra un famoso festival de _____.

2. En los cines de los Estados Unidos no suelen verse _____.

3. En la Noche en Blanco pueden verse exposiciones y _____.

4. La cultura _____ se desarrolló en Perú hace más de 2.000 años.

5. En las regatas de vela, los barcos siguen normalmente un recorrido llamado «_____».

6 Opciones culturales

▶ **Elige** la opción apropiada para completar cada oración.

1. El tejo es un deporte que se practica en _____.

   a. México   b. Colombia   c. Argentina

2. _____ es una exhibición de las habilidades de los jinetes mexicanos.

   a. El tejo   b. El pato   c. La charreada

3. El deporte nacional de Argentina es _____.

   a. el pato   b. el tejo   c. la charreada

4. Antiguamente los indígenas jugaban al tejo con _____.

   a. caballos   b. discos de oro   c. piedras pesadas

5. El levantamiento de piedras es muy popular en el norte de _____.

   a. México   b. Argentina   c. España

7 En la agencia de viajes

▶ **Escucha** la conversación entre Silvia y el agente de viajes. Después, completa las oraciones.

1. Silvia hará un viaje _____ a París y Barcelona.

2. El precio del viaje es muy bueno, aunque es _____.

3. Silvia quiere ir a un _____ en Barcelona.

4. El agente le recuerda que tiene que llevar su _____.

5. Los hoteles a los que irá Silvia están _____.

Hablar

8 Tu ocio

▶ **Habla.** Responde a las preguntas que te plantee tu profesor(a).

	COMMUNICATION	GRAMMAR	VOCABULARY	CONTENT
5	Communication entirely comprehensible; no errors in the message.	No grammatical errors noted.	Wide variety of accurate vocabulary with no errors in expression.	Expanded content relevant; responds completely to the task.
4	Communication comprehensible; message understood.	A few errors in grammar, but not significant to communication.	Accurate vocabulary; adequate for expression.	Content contains some relevant information to the task.
3	Communication almost comprehensible; message somewhat clear.	Several errors in grammar.	Limited vocabulary; several errors in expression.	Limited content. Some information provided with a few details.
1	Not enough communication provided.	Significant errors in grammar structures.	Extremely limited vocabulary inhibits expression.	Limited content. No information provided.

Total _____ / 20

Nombre: _____ Clase: _____ Fecha: _____

Examen: Unidad 6. Tus aficiones (págs. 282–335)

Leer

9 En el chat

▶ **Lee** el chat y decide si las afirmaciones son ciertas (C) o falsas (F).

6:22 Marí@95	¡Hola, Andrea!
6:23 AnDreA	¡Hola, María! ¿Qué haces?
6:23 Marí@95	Estoy viendo la cartelera para saber qué películas ponen en el cine.
6:24 AnDreA	¡Qué bien! ¿Has visto algo interesante?
6:24 Marí@95	Mañana por la noche estrenan una película policíaca en el cine Avenida. ¿Te gustaría ir?
6:25 AnDreA	¡Sí, me apetece mucho! Las películas policíacas son mis favoritas :D
6:25 Marí@95	¡Estupendo! Por cierto, ¿cómo te fue hoy en la carrera de ciclismo?
6:26 AnDreA	Bien. Participamos 20 ciclistas. Yo quedé en sexto lugar.
6:26 Marí@95	¡Felicidades! ¿Y dónde fue la carrera?
6:27 AnDreA	En la pista central del estadio municipal.
6:27 Marí@95	¿Había muchos aficionados?
6:28 AnDreA	Sí, aunque me sorprendió no ver a Ramiro. A él le gusta mucho el ciclismo.
6:28 Marí@95	¡Sí, qué raro! Estará enfermo.
6:29 AnDreA	Puede ser. Quizás lo llame hoy por la noche para ver cómo está.
6:29 Marí@95	Yo voy al ballet hoy por la noche con mi mamá. A ella le encanta el ballet. Yo nunca he ido. Imagino que es un espectáculo entretenido.
6:30 AnDreA	Entretenido y muy bonito. Yo pienso que el ballet es un espectáculo impresionante.
6:30 Marí@95	Bueno, ya te contaré. Te llamo mañana para ir al cine.
6:31 AnDreA	De acuerdo.
6:31 Marí@95	¡Hasta mañana!
6:32 AnDreA	¡Chao!

1. María quiere ir a ver una película romántica.	C	F
2. Andrea participó en una carrera de ciclismo.	C	F
3. Quizás Andrea llame a Ramiro hoy por la noche.	C	F
4. La carrera de ciclismo fue en el estadio central.	C	F
5. A Andrea le gusta mucho el *ballet*.	C	F

10 Tus aficiones

▶ **Escribe.** Responde a estas preguntas.

1. ¿Qué tipo de viaje prefieres? ¿Por qué?

_____

_____

_____

_____

2. ¿Qué necesitas para realizar un vuelo internacional?

_____

_____

_____

_____

3. ¿Qué espectáculos prefieres ver?

_____

_____

_____

_____

4. ¿Te gusta más el cine o el teatro? ¿Por qué?

_____

_____

_____

_____

5. En tu opinión, ¿cuáles son los deportes más difíciles de practicar?

_____

_____

_____

_____

Nombre: _____   **Clase:** _____   **Fecha:** _____

Prueba: Desafío 1 (págs. 342–353)

Vocabulario

1   El medio ambiente

▶ **Relaciona** cada grupo de palabras con una categoría.

A	B
_____ 1. el mar, el bosque, el río	a. catástrofes ecológicas
_____ 2. el pez, el reptil, el ave	b. objetos reciclables
_____ 3. el incendio, la marea negra	c. ecosistemas
_____ 4. las energías alternativas, el reciclaje	d. soluciones
_____ 5. las latas, las pilas, el vidrio	e. fauna

2   La naturaleza

▶ **Elige** la opción apropiada para completar cada oración.

1. El papel, el cartón, el vidrio y las pilas se pueden _____.

   a. fomentar   c. reciclar
   b. sembrar   d. cultivar

2. Hay que _____ a la gente sobre la necesidad de reciclar.

   a. concienciar   c. agotar
   b. respetar   d. fomentar

3. _____ hace que muchos peces mueran.

   a. El cambio climático   c. La deforestación
   b. El ecosistema   d. La marea negra

4. Es posible que _____ se agoten si no los cuidamos.

   a. los cambios climáticos   c. las catástrofes ecológicas
   b. los recursos naturales   d. los agujeros de la capa de ozono

5. La _____ destruye muchos ecosistemas terrestres.

   a. deforestación   c. marea negra
   b. naturaleza   d. energía alternativa

3 Si pasa...

▶ **Relaciona** y forma oraciones lógicas.

Ⓐ

_____ 1. Hijos, si tienen tiempo,

_____ 2. Roberto, si tienes hambre,

_____ 3. Si Lucía termina temprano,

_____ 4. Si yo no salgo a tiempo de casa,

_____ 5. María, si los chicos se duermen,

Ⓑ

a. despiértalos.

b. llegaré tarde.

c. come un sándwich.

d. irá de compras.

e. vengan a casa.

4 ¿Y si fuera así?

▶ **Elige** la forma verbal correcta para completar cada oración.

1. Si utilizáramos menos el coche, no _____ tanta contaminación.
   a. hay   b. habría   c. habrían   d. habríamos

2. Si tú _____ lo que te recomendó el doctor, no tendrías tantos problemas.
   a. hicieras   b. haces   c. hiciste   d. harías

3. Si la fiesta _____ mañana, no iría porque no tengo vestido todavía.
   a. era   b. sería   c. fue   d. fuera

4. Si nos _____ que aceptan la propuesta, empezaríamos ahora.
   a. dijeran   b. dirían   c. dijeron   d. dirán

5. Si ella _____ lo que pasó, se moriría de vergüenza.
   a. sabía   b. sabrá   c. sabe   d. supiera

5 Condiciones

▶ **Completa** las oraciones con la forma correcta de los verbos entre paréntesis.

1. Si yo viajara a Egipto, _____ las pirámides.
   (visitar)

2. Si tú _____ a mi novia, dirías que es una chica fantástica.
   (conocer)

3. Si él _____ los regalos, ya no habría sorpresa.
   (ver)

4. Si ellos tuvieran mil dólares, _____ todas sus deudas.
   (pagar)

5. Si el viaje no _____ tan largo, iríamos con ustedes.
   (ser)

Nombre: .... Clase: .... Fecha: ....

Prueba: Desafío 2 (págs. 354–365)

1 Climas locos

▶ **Relaciona** las imágenes con las palabras correctas.

_____ 1. viento

_____ 2. relámpago

_____ 3. nevada

_____ 4. soleado

_____ 5. llovizna

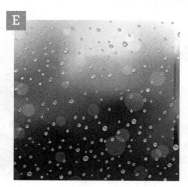

2 En las galaxias

▶ **Completa** las oraciones con las palabras del recuadro.

a. telescopio b. galaxia c. constelaciones d. astrónoma e. meteoritos

1. Nuestra _____ se llama Vía Láctea (*Milky Way*).

2. La _____ descubrió un planeta en otra galaxia.

3. No se pueden ver los _____ pequeños sin un telescopio.

4. Con el _____ Hubble se puede observar el universo.

5. Las estrellas se agrupan en _____ con diferentes dibujos.

3 Antes o después

▶ **Elige** la forma verbal correcta para completar cada oración.

1. Hoy iré de compras después de _____ de clase.

   a. salga   b. salir   c. salgo   d. saldré

2. Carmen, prepararé la cena antes de que tú _____ .

   a. vengas   b. venir   c. vino   d. venías

3. Siempre limpiamos la cocina después de _____ .

   a. almorzar   b. almorzábamos   c. almorzamos   d. almorcemos

4. Estaré tranquilo después de que ellos _____ .

   a. llegar   b. llegaron   c. lleguen   d. llegarían

5. Hablaré con Rodrigo antes de que él _____ su trabajo.

   a. terminó   b. termina   c. terminará   d. termine

4 Es increíble

▶ **Ordena** las palabras para formar oraciones lógicas. Escribe los verbos en presente perfecto de subjuntivo.

1. sus botas / que / es increíble / José / perder

   _____

2. la maestra / espera / los estudiantes / que / estudiar

   _____

3. que / no es posible / tan pronto / tú / volver

   _____

4. la fiesta / yo dudo / temprano / que / terminar

   _____

5. me alegra / ellos / viajar / que / a Perú

   _____

Nombre: .... **Clase:** .... **Fecha:** ....

Prueba: Desafío 3 (págs. 366–377)

Vocabulario

1 Recursos y desastres

▶ **Elige** la opción apropiada para completar cada oración.

1. Algunos creen que es mejor usar _____ para cocinar.

   a. plomo   c. madera

   b. gas natural   d. minerales

2. En el Caribe la gente tiene que estar preparada para _____.

   a. el fuego   c. los terremotos

   b. la sequía   d. los huracanes

3. Durante una sequía hay más riesgo de _____.

   a. incendios forestales   c. huracanes

   b. terremotos   d. ciclones

4. _____ se usa en la construcción de los edificios.

   a. El plomo   c. El acero

   b. La plata   d. El carbón

5. _____ se utiliza para hacer joyas.

   a. El carbón   c. La plata

   b. La sequía   d. El plomo

2 En nuestro mundo

▶ **Completa** las oraciones con las palabras del recuadro.

a. la agricultura   b. el huracán   c. madera   d. la pesca   e. sequías

1. _____ causó inundaciones y destrucción.

2. La economía de esas islas está basada en _____.

3. En Colombia _____ es muy importante; sobre todo, el cultivo del café.

4. Se cree que hay más _____ por el cambio climático en el planeta.

5. Los diferentes tipos de _____ provienen de distintos árboles.

3 ¿Por qué?

▶ **Elige** la respuesta apropiada para cada pregunta.

_____ 1. ¿Por qué no saliste de casa?

    a. La calle se inundó, así es que no pude salir.

    b. La calle se inundó porque no pude salir.

    c. La calle se inundó por qué no pude salir.

    d. La calle se inundó por donde no pude salir.

_____ 2. ¿Por qué te llevaron al hospital?

    a. Por qué me caí de un árbol.

    b. Así que me caí de un árbol.

    c. Por eso me caí de un árbol.

    d. Porque me caí de un árbol.

_____ 3. ¿Por qué se agotan los recursos naturales?

    a. Entre otras razones, porque no reciclar.

    b. Entre otras razones, así no reciclar.

    c. Entre otras razones, por no reciclar.

    d. Entre otras razones, así que no reciclar.

_____ 4. ¿Por qué es famoso el hermano de Aarón?

    a. Porque ser gobernador.

    b. Por eso es gobernador.

    c. Por ser gobernador.

    d. Así es que es gobernador.

_____ 5. ¿Por qué desaparecieron esos árboles?

    a. Hubo un incendio porque desaparecieron los árboles.

    b. Hubo un incendio y por eso desaparecieron los árboles.

    c. Hubo un incendio por qué desaparecieron los árboles.

    d. Hubo un incendio por desaparecer los árboles.

4 ¿A quién?

▶ **Completa** las oraciones con la preposición *a* personal si es necesario.

1. Amanda le da de comer _____ su perro en el jardín.

2. Cuando fuimos al puerto, vimos _____ gente de todas partes del mundo.

3. Mi madre viene de una familia muy grande. Tiene _____ siete hermanos.

4. Cuando estaba en el concierto, reconocí _____ mis compañeros de clase.

5. En España conocí _____ alguien que vivió en París durante la guerra.

Nombre: .... Clase: .... Fecha: ....

Prueba: Desafíos 1–3 (págs. 342–377)

Vocabulario

1 Categorías

▶ **Relaciona** cada grupo de palabras con una categoría.

Ⓐ	Ⓑ
_____ 1. las inundaciones, los ciclones, los terremotos	a. recursos naturales
_____ 2. el cartón, el vidrio, el papel	b. fauna
_____ 3. los peces, las aves, los anfibios	c. desastres naturales
_____ 4. el gas natural, el carbón, la madera	d. tiempo meteorológico
_____ 5. la escarcha, el chubasco, el granizo	e. materiales reciclables

2 Muchas preguntas

▶ **Elige** la respuesta apropiada para cada pregunta.

_____ 1. ¿Qué objetos se deben reciclar?

    a. Las lloviznas y las sequías.   c. El cartón y las pilas.

    b. Los granizos y los chubascos.   d. Los frutos y los granizos.

_____ 2. ¿Qué actividad económica tiene que ver con la producción de la carne de res?

    a. La agricultura.   c. La minería.

    b. La ganadería.   d. La industria.

_____ 3. ¿Cómo se llaman las piedras que caen del espacio a la Tierra?

    a. Gotas.   c. Ciclones.

    b. Truenos.   d. Meteoritos.

_____ 4. ¿Qué metales se usan en la fabricación de joyas?

    a. El carbón y el acero.   c. El plomo y la plata.

    b. El estaño y el hierro.   d. El oro y la plata.

_____ 5. ¿Qué se produce cuando se vierte (is spilled) petróleo al mar?

    a. La marea negra.   c. La deforestación.

    b. El cambio climático.   d. El efecto invernadero.

3 **Dos presentes perfectos**

▶ **Relaciona** y forma oraciones lógicas.

Ⓐ   Ⓑ

_____ 1. Es una pena que tu mamá   a. hayas terminado tu carrera universitaria.

_____ 2. Es posible que las chicas   b. haya perdido su celular.

_____ 3. Me alegra que tú   c. hemos tenido muchos problemas hoy.

_____ 4. Creo que mi papá   d. ha encontrado las llaves.

_____ 5. Es cierto que   e. se hayan ido a su casa.

4 **Antes que nada**

▶ **Elige** la forma verbal correcta para completar cada oración.

1. Cuando _____ con sus amigos, Javier siempre paga la cuenta.

   a. salir   b. sale   c. salga   d. saliera

2. El plomero sabrá qué hay que hacer cuando _____ el lavabo roto.

   a. veas   b. ve   c. ver   d. vea

3. Manuel limpiará la mesa después de _____.

   a. cene   b. cenar   c. ceno   d. cena

4. El jefe estará contento después de que _____ el proyecto.

   a. terminará   b. termine   c. termina   d. terminar

5. Buscaré las llaves antes de _____ a mi hermano.

   a. llame   b. llamo   c. llamar   d. llamaré

5 **¿A?**

▶ **Completa** las oraciones con la preposición *a* personal si es necesario.

1. Esta tarde tengo que ayudar _____ Pablo con su tarea.

2. A mi esposa y a mí nos encantaría conocer _____ Dallas.

3. Puedo estar horas observando _____ mi gatita Borita.

4. Tenía muchas ganas de ver _____ sus abuelos.

5. En la biblioteca hay _____ estudiantes leyendo libros.

Nombre: .... Clase: .... Fecha: ....

Examen: Unidad 7. Por el planeta (págs. 336–389)

Vocabulario

1 Todo mezclado

▶ **Elige** la opción apropiada para completar cada oración.

1. Muchas veces _____ causa incendios forestales.

   a. la contaminación   c. la sequía

   b. el granizo   d. la marea negra

2. El astrónomo nos enseñó dos _____.

   a. temporales   c. pilas

   b. truenos   d. constelaciones

3. Es necesario que las latas y los envases _____.

   a. se reciclen   c. se despejen

   b. se agoten   d. se cultiven

4. El _____ se usa en algunas estufas.

   a. mineral   c. temporal

   b. incendio   d. gas natural

5. Es preciso tener un _____ para observar las constelaciones.

   a. terremoto   c. arco iris

   b. telescopio   d. relámpago

2 Verbos ecológicos

▶ **Completa** las oraciones con los verbos del recuadro.

a. agotarse	b. concienciar	c. fomentar	d. proteger	e. despejarse

1. Es preciso _____ a los osos polares.

2. Es importante organizar campañas para _____ a la gente de los problemas ecológicos.

3. Si no ahorramos energía, los recursos naturales pueden _____.

4. Mañana, después de las lluvias, el cielo va a _____.

5. Ellos trabajan en un proyecto para _____ el reciclaje.

3 **¿Por qué y para qué?**

▶ **Relaciona** y forma oraciones lógicas.

Ⓐ

_____ 1. El carnaval empieza el viernes,

_____ 2. Las esmeraldas son difíciles de conseguir;

_____ 3. Muchos jóvenes estudian

_____ 4. Nadie fue a la fiesta

_____ 5. Prefieren pedir comida al restaurante

Ⓑ

a. porque es más fácil que cocinar.

b. por eso son tan caras.

c. así que debo comprar las máscaras.

d. porque no enviaron las invitaciones.

e. para tener un futuro mejor.

4 **Situaciones hipotéticas**

▶ **Elige** la forma verbal correcta para completar cada oración.

1. Si tu abuela te viera, _____ mucho.

   a. se alegra   c. se alegraba
   b. se alegraría   d. se alegría

2. Si _____ menos coches, habría menos contaminación.

   a. hubiera   c. haya
   b. hay   d. habría

3. Si yo fuera presidente, _____ más el medio ambiente.

   a. protegeré   c. protegería
   b. proteja   d. protegiera

4. Yo haría más ejercicio si _____ menos trabajo.

   a. tendré   c. tuviera
   b. tengo   d. tendría

5. Si supieran todo lo que he hecho por ellos, no _____ mal de mí.

   a. hablarían   c. hablaron
   b. hablan   d. hablaran

Examen: Unidad 7. Por el planeta (págs. 336–389)

Cultura

5 Sitios especiales

▶ **Elige** la opción correcta para completar cada oración.

_____ 1. El Cabo de Hornos se encuentra _____.
   a. al sur de África   c. al sur de la Patagonia
   b. al norte de Ecuador   d. al norte de Chile

_____ 2. La isla de Lanzarote es _____.
   a. de origen volcánico   c. una isla con pingüinos
   b. una isla de Chile   d. una isla de coral

_____ 3. _____ es la zona de mayor biodiversidad
   de Argentina.
   a. El arrecife Alacranes   c. La isla de Lanzarote
   b. La isla de Pascua   d. La Reserva de las Yungas

_____ 4. _____ es el mayor banco de corales del Golfo
   de México.
   a. La isla de Lanzarote   c. La Reserva de las Yungas
   b. El arrecife Alacranes   d. La Reserva del Cabo de Hornos

_____ 5. _____ es una de las especies que nadan
   cerca del arrecife Alacranes.
   a. El tiburón ballena   c. El pingüino de Magallanes
   b. El jaguar   d. La mariposa monarca

6 Gente con mundo

▶ **Completa** estas oraciones con las palabras que faltan.

1. Las _____ hibernan en los bosques de Michoacán.

2. _____ es un importante productor de tulipanes.

3. El quetzal es el símbolo de _____.

4. La _____ se celebra el 24 de junio en España
   y en otros países hispanos.

5. La festividad del _____ se celebra en Cuzco
   desde los tiempos precolombinos.

7 Nuestro planeta Tierra

▶ **Escucha** a Roberto y decide si estas afirmaciones son ciertas (C) o falsas (F).

1. Roberto se preocupa por el medio ambiente.	C	F
2. Según Roberto, la sequía no es un problema para la agricultura.	C	F
3. La minería de carbón contribuye al cuidado del medio ambiente.	C	F
4. Para Roberto es importante que usemos la energía producida por el sol.	C	F
5. Roberto piensa que es urgente empezar a proteger el planeta.	C	F

Hablar

8 ¿Conoces tu mundo?

▶ **Habla** sobre el tema o la situación que te plantee tu profesor(a).

	COMMUNICATION	GRAMMAR	VOCABULARY	CONTENT
5	Communication entirely comprehensible; no errors in the message.	No grammatical errors noted.	Wide variety of accurate vocabulary with no errors in expression.	Expanded content relevant; responds completely to the task.
4	Communication comprehensible; message understood.	A few errors in grammar, but not significant to communication.	Accurate vocabulary; adequate for expression.	Content contains some relevant information to the task.
3	Communication almost comprehensible; message somewhat clear.	Several errors in grammar.	Limited vocabulary; several errors in expression.	Limited content. Some information provided with a few details.
1	Not enough communication provided.	Significant errors in grammar structures.	Extremely limited vocabulary inhibits expression.	Limited content. No information provided.

Total _____ / 20

Assessments Blackline Master Español Santillana. ® Santillana USA

Nombre: .... **Clase:** .... **Fecha:** ....

Examen: Unidad 7. Por el planeta (págs. 336–389)

Leer

9 **Donde vive Juan**

▶ **Lee** la descripción del tiempo meteorológico en la región donde vive Juan. Después, completa las oraciones.

> **¡Cómo cambia el tiempo!**
>
> En la región donde vivo, el tiempo cambia mucho de una estación a otra. Normalmente hace frío en invierno. A veces tenemos varias nevadas grandes. Si estas nevadas caen en enero y febrero, la tierra se hiela, pero esto no afecta mucho a la agricultura. Si hay nieve y escarcha más tarde, en marzo y abril, es posible que luego haya inundaciones, especialmente cerca de los ríos. Esto es una grave amenaza para la agricultura y la ganadería.
>
> En primavera siempre hay temporales, aunque en los últimos años no ha habido tantos chubascos debido al cambio climático. Este año, por ejemplo, es posible que incluso haya sequía durante el verano. Esto significa que habrá un riesgo alto de incendios forestales hasta que lleguen las lluvias del otoño.
>
> El otoño también sufre los efectos del cambio climático. Por las altas temperaturas del agua de los océanos, se espera que la temporada de huracanes sea más larga de lo normal. Es importante que la gente lo sepa para que se prepare adecuadamente. ¡Yo voy a prepararme para los huracanes y para cualquier cambio meteorológico!

1. Las nevadas de enero y febrero no afectan mucho a la ....

2. Si nieva en primavera, puede haber ....

3. En los últimos años no ha habido tantos chubascos en primavera

   por el ....

4. Cuando hay una sequía, hay un riesgo alto de ....

5. Este año se espera que la temporada de .... sea más larga.

10 Nuestro mundo, nuestro planeta

▶ **Escribe.** Responde a estas preguntas.

1. ¿Cómo es el tiempo donde vives en cada una de las cuatro estaciones?

2. ¿Qué fenómenos, eventos o comportamientos afectan al medio ambiente?

3. ¿Qué recursos naturales utilizamos diariamente?

4. ¿Qué estudiamos en una clase de Astronomía?

5. ¿Qué actividades económicas importantes tienen los Estados Unidos?

Nombre: .... **Clase:** .... **Fecha:** ....

Prueba: Desafío 1 (págs. 396–407)

Vocabulario

1 **¿Quiénes fueron?**

▶ **Elige** la respuesta apropiada para cada pregunta.

_____ 1. ¿Quiénes llegaron a las Américas en el siglo xv?

  a. Los arqueólogos españoles.   c. Los incas.

  b. Los exploradores españoles.   d. Las estatuas.

_____ 2. ¿Quiénes vivían en el territorio de México cuando llegaron los españoles?

  a. Los conquistadores.   c. Los arqueólogos.

  b. Los aztecas.   d. Los españoles.

_____ 3. ¿Quiénes estudian las ruinas de las antiguas ciudades?

  a. Los conquistadores.   c. Los exploradores.

  b. Los incas.   d. Los arqueólogos.

_____ 4. ¿Quiénes fueron los mayas, los incas y los aztecas?

  a. Grandes civilizaciones de América.   c. Antiguas batallas.

  b. Excavaciones arqueológicas.   d. Importantes palacios.

_____ 5. ¿Quiénes invadieron el territorio de México en 1521?

  a. Las civilizaciones mayas.   c. Los exploradores incas.

  b. Los conquistadores españoles.   d. Los imperios aztecas.

2 **En el pasado**

▶ **Completa** las oraciones con los verbos apropiados en pretérito.

a. descubrir	b. conquistar	c. excavar	d. reconstruir	e. restaurar

1. Los astrónomos _____ un nuevo planeta el mes pasado.

2. El año pasado, varios expertos en arte _____ una estatua antigua.

3. Los arqueólogos _____ unas ruinas mayas.

4. Los arquitectos _____ el palacio después del terremoto.

5. Francisco Pizarro _____ Perú en el siglo xvi.

3 Lo que pasó

▶ **Relaciona** y forma oraciones lógicas.

Ⓐ

_____ 1. El verano pasado, Ana y su mamá

_____ 2. Cuando yo tenía diez años,

_____ 3. Debido a tu trabajo,

_____ 4. Cuando Pedro llegó, ellos ya

_____ 5. Todos creen que ayer yo

Ⓑ

a. has vivido en muchos países.

b. habían decidido no participar.

c. preparé el almuerzo.

d. no sabía nadar.

e. fueron a Venezuela.

4 ¿Pasó o pasará?

▶ **Elige** la forma verbal correcta para completar cada oración.

1. La imprenta _____ en el siglo xv.
   a. era inventada   b. fue inventada   c. inventada   d. inventó

2. En este restaurante todos los platos _____ con mucho cuidado.
   a. han preparado   b. es preparado   c. preparados   d. son preparados

3. La conferencia _____ por Internet esta noche.
   a. siendo transmitida   b. será transmitida   c. transmitida   d. eran transmitidas

4. Ese día, las buenas noticias _____ con mucho entusiasmo.
   a. estaban recibidas   b. recibieron   c. recibidas   d. fueron recibidas

5. El interior de este edificio _____ por mi abuelo.
   a. siendo diseñado   b. fue diseñado   c. diseñado   d. estaba diseñando

5 Pasivas

▶ **Completa** las oraciones con los verbos entre paréntesis en voz pasiva.

1. La excavación _____ por los arqueólogos hace diez años.
   (realizar)

2. Los próximos exámenes _____ por otros profesores.
   (corregir)

3. Cada año, el festival _____ por las autoridades de la ciudad.
   (organizar)

4. El cuadro _____ por un equipo de expertos que va a venir.
   (restaurar)

5. En clase de Literatura todos los poemas _____ en voz alta.
   (leer)

Nombre: .... **Clase:** .... **Fecha:** ....

Prueba: Desafío 2 (págs. 408–419)

Vocabulario

1 **El gobierno en acción**

▶ **Elige** la palabra apropiada para completar cada oración.

1. El _____ llegó al poder mediante un golpe de Estado.
   - a. senador
   - b. dictador
   - c. diputado
   - d. presidente

2. Un rey representa _____.
   - a. a los diputados
   - b. al Senado
   - c. a su país
   - d. al Congreso

3. En una república democrática los _____ eligen al jefe del Estado.
   - a. ciudadanos
   - b. vicepresidentes
   - c. dictadores
   - d. reyes

4. En España, _____ elabora las leyes.
   - a. la monarquía
   - b. el Parlamento
   - c. el vicepresidente
   - d. el príncipe

5. En los Estados Unidos, las leyes tienen que seguir _____.
   - a. la Constitución
   - b. la dictadura
   - c. el golpe de Estado
   - d. la monarquía

2 **De política**

▶ **Completa** las oraciones con las palabras del recuadro.

a. democráticos   b. los diputados   c. los ministros   d. gobierna   e. la Constitución

1. En España, _____ forman parte del gobierno.

2. El presidente _____ el país.

3. En los países _____ el Parlamento elabora las leyes.

4. Todas las personas deben respetar _____ de su país.

5. Los miembros del Congreso son _____.

3 Hechos reales

▶ **Relaciona** y forma oraciones lógicas.

<table>
<tr><td>Ⓐ</td><td>Ⓑ</td></tr>
<tr><td>_____ 1. Aunque la niña tiene tres años,</td><td>a. estuvimos la semana pasada.</td></tr>
<tr><td>_____ 2. A lo mejor mi primo</td><td>b. sabe escribir algunas palabras.</td></tr>
<tr><td>_____ 3. Ayer fui al lugar donde</td><td>c. harás bien el examen.</td></tr>
<tr><td>_____ 4. Cuando suena el timbre, los estudiantes</td><td>d. viene a visitarnos.</td></tr>
<tr><td>_____ 5. Tú estás segura de que</td><td>e. salen del salón de clase.</td></tr>
</table>

4 Muchas etapas

▶ **Elige** la opción correcta para completar cada oración.

1. Roberto _____, aunque lo hace bastante mal.

   a. sigue cantando   c. empezaba a cantar
   b. lleva cantando   d. deja de cantar

2. _____ granizo y tuvimos que parar el coche.

   a. Acabó de caer   c. Empezó a caer
   b. Dejó de caer   d. Sigue cayendo

3. Mariana y sus amigos _____ al centro comercial.

   a. empiezan a llegar   c. siguen llegando
   b. dejan de llegar   d. acaban de llegar

4. Cuando los músicos _____, la fiesta terminó.

   a. siguieron tocando   c. empezaron a tocar
   b. dejaron de tocar   d. llevaban tocando

5. Los chicos _____ varias horas.

   a. siguen jugando   c. empiezan a jugar
   b. dejan de jugar   d. llevan jugando

Nombre: .... **Clase:** .... **Fecha:** ....

Prueba: Desafío 3 (págs. 420–431)

Vocabulario

1 La sociedad

▶ **Relaciona** y forma oraciones lógicas.

Ⓐ

_____ 1. Un inmigrante es la persona

_____ 2. La libertad de expresión es

_____ 3. El proceso de integración en una nueva cultura es

_____ 4. La clave de la convivencia es

_____ 5. Hay sociedades que trabajan

Ⓑ

a. el derecho a decir nuestra opinión.

b. el respeto entre las personas.

c. por los derechos de los ciudadanos.

d. que llega a otro país para establecerse en él.

e. a veces difícil.

2 La convivencia

▶ **Elige** la opción apropiada para completar cada oración.

1. Muchas familias que emigraron mantienen su _____.
   - a. igualdad
   - b. herencia cultural
   - c. justicia
   - d. pluralidad

2. _____ en una nueva cultura lleva tiempo.
   - a. La integración
   - b. La multiculturalidad
   - c. El mestizaje
   - d. La sociedad

3. Para convivir en paz es necesario _____ a los demás.
   - a. gritar
   - b. conocer
   - c. respetar
   - d. integrarse

4. Todos debemos ser _____ y apoyar a los demás.
   - a. solidarios
   - b. inmigrantes
   - c. diversos
   - d. integrados

5. Todos los ciudadanos tienen derechos y _____.
   - a. diversidad
   - b. causas
   - c. sociedades
   - d. deberes

3 **¿Qué opinas?**

▶ **Elige** la respuesta apropiada para cada pregunta.

_____ 1. ¿Qué te aconseja tu profesora?

    a. Que estudiara más.

    b. Que estudie más.

    c. Que estudia más.

_____ 2. ¿Qué deseas para el próximo año?

    a. Que mi equipo gana más partidos.

    b. Que mi equipo ganará más partidos.

    c. Que mi equipo gane más partidos.

_____ 3. ¿Qué cosa no es verdad?

    a. Que me guste el helado.

    b. Que me gusta el helado.

    c. Que me gustaría el helado.

_____ 4. ¿Qué le recomienda el médico a su paciente?

    a. Que descanse más.

    b. Que descansará más.

    c. Que descansara más.

_____ 5. ¿Qué te alegra?

    a. Que fuera a la fiesta.

    b. Que vas a la fiesta.

    c. Que vayas a la fiesta.

4 **Muchos artículos**

▶ **Elige** el artículo apropiado para completar cada oración.

1. Vamos de vacaciones a _____ playa.
                        (la/una)

2. Julio y yo compramos _____ libros muy interesantes.
                          (los/unos)

3. Mi familia y yo estamos en _____ hotel muy bonito cerca del centro.
                          (el/un)

4. Me gustan mucho _____ películas románticas.
                   (unas/las)

5. Teresa es _____ profesora excelente.
          (una/la)

Nombre: .... **Clase:** .... **Fecha:** ....

Prueba: Desafíos 1–3 (págs. 396–431)

Vocabulario

1 La historia y la sociedad

▶ **Elige** la opción apropiada para completar cada oración.

1. Los _____ invadieron el territorio del norte.

   a. exploradores   c. alcaldes

   b. palacios   d. conquistadores

2. Los arqueólogos se encargan de _____ las ruinas.

   a. romper   c. conquistar

   b. restaurar   d. elegir

3. El _____ gobierna el país.

   a. presidente   c. príncipe

   b. conquistador   d. alcalde

4. _____ llegó al poder mediante un golpe de Estado.

   a. El arqueólogo   c. El dictador

   b. La reina   d. El vicepresidente

5. Mi familia y yo somos de Perú y mantenemos nuestra _____.

   a. libertad   c. tolerancia

   b. herencia cultural   d. igualdad

2 Palabras importantes

▶ **Completa** las oraciones con las palabras del recuadro.

| a. el imperio | b. etnias | c. el poder | d. la Constitución | e. la tolerancia |

1. En una dictadura el dictador tiene todo _____.

2. Francisco Pizarro conquistó _____ inca.

3. _____ es importante para poder convivir en paz.

4. En muchos países conviven personas de distintas _____.

5. Los derechos y los deberes de los ciudadanos están recogidos

   en _____.

3 Opiniones y hechos

▶ **Relaciona** y forma oraciones lógicas.

Ⓐ

_____ 1. Pedro lleva cinco años

_____ 2. Aunque esté cansado,

_____ 3. No creo que ir al cine

_____ 4. Cuando Joe acabó de hablar por teléfono,

_____ 5. No puedo creer que ustedes

Ⓑ

a. saldré a caminar con mis amigos.

b. sea una buena idea.

c. se sentó a ver la televisión.

d. lleven tanto tiempo esperando.

e. estudiando en la misma escuela.

4 Posiblemente

▶ **Elige** la forma verbal correcta para completar cada oración.

1. Jimena está segura de que _____ el concurso fácilmente.

    a. ganaba   c. gana

    b. gane   d. ganará

2. Con esta lluvia es imposible que ellos _____ a tiempo.

    a. llegan   c. llegar

    b. lleguen   d. llegaron

3. Deseo que mis padres _____ a mis amigos.

    a. conocer   c. conocen

    b. conozco   d. conozcan

4. A lo mejor mis padres _____ ir a la fiesta.

    a. quisieran   c. quieren

    b. quieran   d. querer

5. Tú crees que hoy van a _____ un regalo, ¿verdad?

    a. dan   c. den

    b. darte   d. darán

Nombre: .... **Clase:** .... **Fecha:** ....

Examen: Unidad 8. En sociedad (págs. 390–443)

Vocabulario

1 **Con sentido**

▶ **Relaciona** y forma oraciones lógicas.

Ⓐ	Ⓑ
_____ 1. Todos los ciudadanos	a. una monarquía constitucional.
_____ 2. Los arqueólogos	b. puso fin al imperio azteca.
_____ 3. En España hay	c. gobierna la ciudad.
_____ 4. El alcalde	d. tienen derechos y deberes.
_____ 5. Hernán Cortés	e. excavaron en Chichén Itzá.

2 **Países y procesos**

▶ **Elige** la opción apropiada para completar cada oración.

1. Las _____ de Machu Picchu son magníficas.
   a. guerras   c. reinas
   b. ruinas   d. diputadas

2. En España, el Parlamento elabora _____.
   a. las leyes   c. la pluralidad
   b. la votación   d. la monarquía

3. Los _____ votan para elegir al presidente.
   a. reyes   c. ciudadanos
   b. ministros   d. dictadores

4. El proceso de _____ en una nueva cultura es a veces difícil.
   a. integración   c. mestizaje
   b. votación   d. pluralidad

5. En Barcelona viven _____ de muchas partes del mundo.
   a. conquistadores c. monarquías
   b. ministros   d. inmigrantes

Gramática

3 Cuidado con los verbos

▶ **Elige** la forma verbal correcta para completar cada oración.

1. Es bueno que ellos _____ muchos libros.

    a. lean   c. leyeron

    b. leen   d. leer

2. No creo que ese examen _____ tan difícil.

    a. ser   c. sea

    b. es   d. sean

3. El doctor nos aconsejó que _____ ejercicio.

    a. hacíamos   c. hiciéramos

    b. hicimos   d. hacemos

4. Aunque Miguel está cansado, _____ que levantarse.

    a. tenga   c. tener

    b. tiene   d. tenía

5. No encontré el reloj donde lo _____ anoche. ¡Qué raro!

    a. dejé   c. dejara

    b. dejo   d. deje

4 En pasado

▶ **Completa** las oraciones con la forma apropiada de los verbos entre paréntesis.

1. El verano pasado yo _____ a tu prima Esther.
                                       (conocer)

2. Cuando éramos niños, _____ a mis tíos todos los sábados.
                                         (visitar)

3. Él _____ en esta misma casa durante veinte años.
                     (vivir)

4. Cuando ella llegó a casa, su marido ya _____ la cena.
                                       (preparar)

5. Anoche, Julio hizo la tarea y después _____ una película.
                                             (ver)

Nombre: .... **Clase:** .... **Fecha:** ....

Examen: Unidad 8. En sociedad (págs. 390–443)

Cultura

5 **Comunidades y organizaciones**

▶ **Elige** la opción apropiada para completar cada oración.

1. Las ruinas mayas de Copán están en _____.
   a. Perú   b. México   c. Honduras

2. La civilización maya es importante por sus _____.
   a. avances científicos   b. ruinas   c. libros

3. La numeración maya está relacionada con _____.
   a. las estaciones   b. la lluvia   c. su calendario

4. Los Juegos Olímpicos de 1992 se celebraron en _____.
   a. México   b. Londres   c. Barcelona

5. La _____ trabaja en la protección de los derechos humanos.
   a. OEA   b. ONA   c. OIA

6 **Símbolos**

▶ **Responde** a estas preguntas.

1. ¿Cuáles son los colores de la bandera de México?

   _____

2. ¿Para qué se construyó la ciudad olímpica de Barcelona?

   _____

3. ¿Por qué Nueva York es considerada el corazón de la multiculturalidad?

   _____

4. ¿Dónde está el Museo del Barrio?

   _____

5. ¿Cuál es el origen de la ciudad de Barcelona?

   _____

7 En la clase de Historia

▶ **Escucha** la conversación entre Ramón y Rebeca. Después, completa las oraciones.

1. En el _____ Hernán Cortés llegó al territorio que ocupa actualmente México.

2. Hernán Cortés conquistó el _____.

3. Francisco Pizarro fue el _____.

4. Los chicos tienen que investigar sobre las _____ en los territorios conquistados.

5. Ahora México es una _____.

Hablar

8 Hablemos de historia, política y sociedad

▶ **Habla.** Responde a las preguntas que te plantee tu profesor(a).

	COMMUNICATION	GRAMMAR	VOCABULARY	CONTENT
5	Communication entirely comprehensible; no errors in the message.	No grammatical errors noted.	Wide variety of accurate vocabulary with no errors in expression.	Expanded content relevant; responds completely to the task.
4	Communication comprehensible; message understood.	A few errors in grammar, but not significant to communication.	Accurate vocabulary; adequate for expression.	Content contains some relevant information to the task.
3	Communication almost comprehensible; message somewhat clear.	Several errors in grammar.	Limited vocabulary; several errors in expression.	Limited content. Some information provided with a few details.
1	Not enough communication provided.	Significant errors in grammar structures.	Extremely limited vocabulary inhibits expression.	Limited content. No information provided.

Total _____ / 20

Nombre: .... Clase: .... Fecha: ....

Examen: Unidad 8. En sociedad (págs. 390–443)

Leer

9 **¡Vota!**

▶ **Lee** el texto y decide si las afirmaciones son ciertas (C) o falsas (F).

El derecho al voto

Mi nombre es Melinda Martín y trabajo para la organización Tu Voto, Tu Voz. Nuestro principal objetivo es concienciar a la gente de la necesidad de votar. Yo ayudo elaborando folletos con información sobre los derechos y los deberes de los ciudadanos, que están recogidos en la Constitución de nuestro país.

En los folletos, siempre se habla del derecho de todos los ciudadanos a expresarse libremente. Todas las personas pueden expresar sus opiniones sin ser juzgadas o perseguidas por ello. La libertad de expresión es un derecho característico de los países democráticos y para mucha gente es el más importante.

También se habla en nuestros folletos del derecho al voto. Todos los ciudadanos tienen derecho a votar. Sin embargo, algunas personas piensan que el voto no es importante, por eso nunca han participado en ninguna votación. Es importante que todos participen en la elección de un alcalde, de un gobernador o de un presidente. Participar en las elecciones demuestra el compromiso de las personas con su país y con la sociedad en la que viven.

---

1. La organización de Melinda quiere que la gente participe en las elecciones.   C   F

2. Melinda elabora folletos turísticos.   C   F

3. En los folletos se habla de la historia de los Estados Unidos.   C   F

4. La libertad de expresión es propia de la democracia.   C   F

5. Melinda piensa que es más importante votar a un presidente que a un alcalde.   C   F

10 Derechos y deberes

▶ **Escribe** sobre el siguiente tema.

> People in our society live by a set of norms, which include both rights and responsibilities. Write about the rights and duties of individuals in our society. How might these be different from other societies?

Final Exam

Nombre: ....   **Clase:** ....   **Fecha:** ....

Examen final

1 ¡A vestirse!

▶ **Escribe** el nombre de cada prenda u objeto con los artículos definidos correctos (*el, la, los, las*).

A

D

C

B

E

2 ¿Cuál es?

▶ **Elige** la palabra que no pertenece a cada grupo.

_____ 1. a. ciclista	b. pista	c. bicicleta	d. piscina
_____ 2. a. pasaporte	b. boletos	c. tarjeta de embarque	d. hotel
_____ 3. a. tormentas	b. meteoritos	c. constelaciones	d. galaxias
_____ 4. a. derrota	b. empate	c. atleta	d. victoria
_____ 5. a. deforestación	b. mareas negras	c. cambio climático	d. reciclar

3 ¿Cuál corresponde?

▶ **Relaciona** cada imagen con la oración correcta.

_____ 1. La escuela de Diana es multicultural.

_____ 2. Mario quiere estudiar Astronomía.

_____ 3. A mi hermana y a mí nos encanta el *ballet*.

_____ 4. Cecilia trabaja como voluntaria en su comunidad.

_____ 5. Abel y Marta son arqueólogos y han participado
en varias excavaciones.

4 Mi familia

▶ **Elige** la opción apropiada para completar cada oración.

1. Raúl es el esposo de mi madre y el padre de mi hermanastra.
Él es mi _____.

    a. padre   b. abuelo paterno   c. padrastro   d. padrino

2. Mi madrina siempre ayuda a los demás. Ella es muy _____.

    a. risueña   b. bondadosa   c. tímida   d. egoísta

3. Ayer fuimos a _____ de mi hermano mayor. ¡Ya terminó
la universidad!

    a. el nacimiento   b. la graduación   c. la jubilación   d. la juventud

4. Los padres de mi madre son mis _____.

    a. abuelos maternos   b. abuelos paternos   c. hermanastros   d. padrinos

5. De niño, mi papá vivía en San Juan. Allí pasó toda su _____.

    a. madurez   b. bautizo   c. jubilación   d. niñez

Nombre: _____ **Clase:** _____ **Fecha:** _____

Examen final

5 **Tus sentimientos**

▶ **Elige** la forma verbal correcta para completar cada oración.

1. Me da miedo que _____ frío en la montaña.
   - a. hacer
   - b. hace
   - c. haría
   - d. haga

2. Me sorprendió que les _____ el premio.
   - a. dieran
   - b. darían
   - c. dar
   - d. dieron

3. Me molesta que tú no _____ a mi fiesta de cumpleaños.
   - a. venga
   - b. vengas
   - c. vienes
   - d. ven

4. Me gusta _____ a los demás.
   - a. ayudo
   - b. ayudar
   - c. ayudaría
   - d. ayude

5. Me preocupaba que ustedes no _____ la dirección.
   - a. encontrarían
   - b. encontraron
   - c. encontraran
   - d. encuentran

6 **Si tuvieras tiempo...**

▶ **Relaciona** y forma oraciones lógicas.

Ⓐ	Ⓑ
_____ 1. Si hacemos bien los exámenes,	a. colaboraré con ustedes.
_____ 2. Si tuvieras tiempo,	b. iría a la fiesta.
_____ 3. Si yo puedo,	c. ganará el campeonato.
_____ 4. Si me comprara un vestido nuevo,	d. leerías más libros.
_____ 5. Si ella practica todos los días,	e. estaremos muy contentos.

7 En la playa

▶ **Completa** el texto con los verbos en presente perfecto.

Un gran fin de semana

Mi nombre es Guillermo y tengo dieciséis años. Este fin de semana,

mis amigos y yo (1) _____ a la playa. Jorge
                                    (ir)

(2) _____ de la comida. Sus padres y él
            (encargarse)

(3) _____ unos sándwiches muy ricos. Javier y Beatriz
            (preparar)

(4) _____ los refrescos. Yo había comprado una torta
        (traer)

de chocolate para todos. ¡Qué bien lo (5) _____!
                                                    (pasar)

8 Del pasado

▶ **Relaciona** y forma oraciones lógicas.

          (A)

_____ 1. Cuando tú llegaste al cine, ella

_____ 2. Ayer Paloma y yo

_____ 3. Empezó a nevar

_____ 4. Alejandro y José

_____ 5. El verano pasado yo

          (B)

a. estuve de vacaciones en Perú.

b. no habían hecho la tarea.

c. no había llegado todavía.

d. cuando salí de mi casa.

e. fuimos a la biblioteca.

9 El pluscuamperfecto

▶ **Completa** las oraciones con los verbos en pluscuamperfecto.

1. Cuando yo salí, ellos ya _____.
                                        (cenar)

2. Ayer me compré el abrigo que nosotras _____ en la tienda.
                                                    (ver)

3. Cuando nosotros llegamos, tú no _____ el examen todavía.
                                                (hacer)

4. Julio cuidó las plantas que yo _____.
                                            (sembrar)

5. Adriana ya _____ a la escuela cuando comenzó a llover.
                    (llegar)

Nombre: .... **Clase:** .... **Fecha:** ....

Examen final

Cultura

10 **El mundo hispanohablante**

▶ **Completa** las oraciones con las palabras que faltan.

1. La universidad más antigua de los Estados Unidos es _____.

2. En el centro de las ciudades coloniales de América está la _____.

3. La _____ es un tubérculo parecido a la papa.

4. Barcino fue el nombre antiguo de _____.

5. En 1992 los _____ se celebraron en Barcelona.

11 **Muchas culturas**

▶ **Responde** a estas preguntas.

1. ¿Qué tres civilizaciones indígenas tuvieron mucha influencia en Latinoamérica?

_____

2. ¿Por qué son conocidos los mayas?

_____

3. ¿Qué es la charreada?

_____

_____

4. ¿Qué es la Noche en Blanco?

_____

_____

5. ¿Qué es *El Diario La Prensa*?

_____

_____

12 Un día especial

▶ **Escucha** el discurso del director de una escuela y completa las oraciones.

1. El director de la escuela se alegra de _____ el fin de curso con todos.

2. Los estudiantes de la escuela han obtenido buenas _____.

3. El equipo de baloncesto de la escuela ganó el _____ estatal.

4. Josefina Landeros creó un proyecto para el cuidado del medio ambiente y el fomento del _____.

5. El alcalde le dio un _____ a Josefina por su proyecto.

13 Al cine y al teatro

▶ **Habla** sobre el tema o la situación que te plantee tu profesor(a).

	COMMUNICATION	GRAMMAR	VOCABULARY	CONTENT
5	Communication entirely comprehensible; no errors in the message.	No grammatical errors noted.	Wide variety of accurate vocabulary with no errors in expression.	Expanded content relevant; responds completely to the task.
4	Communication comprehensible; message understood.	A few errors in grammar, but not significant to communication.	Accurate vocabulary; adequate for expression.	Content contains some relevant information to the task.
3	Communication almost comprehensible; message somewhat clear.	Several errors in grammar.	Limited vocabulary; several errors in expression.	Limited content. Some information provided with a few details.
1	Not enough communication provided.	Significant errors in grammar structures.	Extremely limited vocabulary inhibits expression.	Limited content. No information provided.

Total _____ / 20

Nombre: _____   Clase: _____   Fecha: _____

Examen final

Leer

14 **Equilibrio vital**

▶ **Lee** el artículo y decide si las afirmaciones son ciertas (C) o falsas (F).

Una vida equilibrada

POR LA DOCTORA IRMA HOYOS

Es importante tener una vida equilibrada. No importa qué profesión o carrera elijas, lo importante es que sepas mantener un equilibrio entre tu vida profesional y tu vida personal.

Todo tipo de trabajo tiene un cierto nivel de estrés. A veces es difícil saber cuándo es necesario tomar un descanso, pero debes aprender a reconocer los síntomas del estrés en tu cuerpo.

Todos necesitamos descansar: los científicos, los periodistas, los jefes, los obreros... Una forma de descanso y diversión puede ser asistir a un concierto o al *ballet*. También puedes salir con tus amigos o ir a ver competencias deportivas. Viajar también puede ser muy divertido y beneficioso para la salud. Y no olvides alimentarte bien y practicar deportes.

Otra forma de entretenimiento, que además es útil para la sociedad, es trabajar como voluntario. Existen distintos programas de colaboración; puedes participar en proyectos para proteger el medio ambiente, mejorar tu comunidad, colaborar con las escuelas locales o ayudar a las personas necesitadas. Este tipo de trabajo te permite ayudar a otras personas y da mucha satisfacción personal.

Sonríe frecuentemente y sé amable con todos. No olvides que un cuerpo sano y una mente sana son esenciales para llevar una vida equilibrada y feliz.

1. Según el artículo, la vida laboral es más importante que la personal. C F

2. Según la doctora Hoyos, algunos profesionales necesitan descansar más que otros. C F

3. La doctora explica qué cosas nos pueden ayudar a descansar. C F

4. La doctora propone ayudar a los demás como una forma de descansar del trabajo. C F

5. Según la doctora, sonreír con frecuencia ayuda a ser feliz. C F

15 **Tu opinión y tu experiencia**

▶ **Escribe.** Responde a estas preguntas.

1. ¿En qué profesiones se trabaja con la tecnología?

2. ¿Cómo preparas un viaje largo?

3. ¿Cuándo fue la última vez que estuviste enfermo(a)? ¿Qué síntomas tenías? ¿Qué hiciste?

4. ¿Qué actividades de ocio prefieren tú y tus amigos?

5. En tu opinión, ¿qué debemos hacer para ser buenos ciudadanos?

Answer Key

Placement Test

Examen preliminar (págs. 5–10)

1. ¡Qué diferentes!

1. C   4. A
2. B   5. D
3. E

2. Intrusos

1. a   4. a
2. c   5. b
3. c

3. Adverbios

1. b   4. e
2. a   5. c
3. d

4. Verbos

1. d   4. b
2. b   5. a
3. c

5. ¿Recuerdas?

Sample answers

Centroamérica: el lago de Atitlán y los músicos garífunas.
Las Antillas: los barrios coloniales y la música caribeña.
Andes centrales: el carnaval de Oruro y Potosí.
Norteamérica: el Día de Muertos y el Álamo.
España: Pablo Picasso y los sanfermines.
Caribe continental: la leyenda de El Dorado y el café.
Río de la Plata: el guaraní y el tango.

6. Un minuto para la salud

Audio script

Buenas tardes. Soy la doctora Sánchez y esto es *Un minuto para la salud*, su programa de radio favorito.

Estamos en primavera. En esta época del año algunas personas tienen catarro o alergia. A veces es difícil distinguir entre estas dos enfermedades, pero es importante hacerlo porque los remedios son diferentes. Utilicen la información que les damos a continuación para cuidarse y visiten siempre a su médico para que les dé el diagnóstico correcto.

Si les duele la cabeza y tienen un poco de fiebre y tos, es probable que tengan catarro. En este caso, deben beber mucha agua, descansar y tomar un jarabe para la tos. Es importante que vayan a la consulta del médico para recibir un tratamiento apropiado.

Si estornudan mucho, les pican los ojos y no tienen fiebre, entonces puede ser que tengan alergia. Los remedios para las alergias son diferentes a los remedios para el catarro. Vayan al médico para que les receten los remedios correctos.

Tener buena higiene personal les puede ayudar a estar sanos. Es muy importante lavarse las manos con frecuencia. No deben compartir sus botellas de agua ni su maquillaje. Deben seguir una dieta equilibrada y tomar vitaminas. Además, es importante hacer ejercicio para estar en forma.

¡Cuídense mucho, y hasta el próximo programa!

Answers

1. *la salud*
2. alergia
3. un jarabe
4. estornuda
5. las manos

7. Me siento bien

Questions

1. ¿Qué hábitos de higiene personal practicas cada mañana?
2. ¿Qué actividades de ocio hacías cuando eras niño(a)?
3. ¿Cuáles son tus síntomas cuando tienes gripe?

Sample answers

1. Todas las mañanas me ducho, me doy desodorante, me lavo los dientes y me peino.
2. Cuando era niño(a), jugaba con mis amigos(as), iba al cine con mis padres y en verano iba a la playa.
3. Cuando tengo gripe me duele la cabeza y a veces me duele también el estómago, y tengo fiebre.

8. Un viaje a Perú

1. C   4. F
2. C   5. F
3. F

9. Tus cosas

Sample answers

1. Me gusta mucho el cine y me encanta ir a los conciertos de mis grupos de música favoritos. También me gusta ir a espectáculos deportivos, como un partido de fútbol o de baloncesto.
2. En mi ciudad hace mucho frío en invierno y normalmente hay nevadas. En verano hace mucho calor y con frecuencia hay tormentas.
3. Es importante hacer ejercicio para estar sano y en forma. Yo juego al baloncesto tres días a la semana. Los fines de semana, me gusta correr por el parque o nadar en la piscina.
4. En mis próximas vacaciones viajaré con mis padres a Costa Rica. Es un país muy interesante. Allí visitaremos el Parque Nacional Tortuguero.
5. Mi mejor amiga se llama Sonia. Tiene 16 años. Es alta y delgada. Es pelirroja y lleva gafas. Sonia es inteligente y muy creativa, ¡y muy optimista!

Prueba: Contar hechos actuales (págs. 11–12)

1. En presente

1. c
2. c
3. a
4. d
5. b

2. Yo, tú, él

1. e
2. d
3. a
4. b
5. c

3. Estamos estudiando

1. estoy escribiendo
2. estamos jugando
3. estás haciendo
4. está preparando
5. están hablando

4. Preguntas

Sample answers

1. Estoy estudiando para un examen de Español.
2. Ellos van a la playa.
3. Mi mejor amiga está leyendo una revista.
4. Por las tardes voy al parque con mis amigos.
5. Mi profesor está explicando los verbos en español.

Prueba: Contar hechos pasados (págs. 13–14)

1. Ya pasó

1. b
2. c
3. e
4. a
5. d

2. Del ayer

1. d
2. b
3. a
4. b
5. d

3. Verbos irregulares

1. tuvimos
2. viniste
3. estuve
4. pidieron
5. dijo

4. ¿Qué sucedió?

1. b
2. d
3. a
4. d
5. c

Prueba: Dar órdenes e instrucciones (págs. 15–16)

1. ¡Piensa!

1. c
2. a
3. b
4. d
5. c

2. Mandatos

1. coman
2. haga
3. vayan
4. sal
5. Sé

3. Consejos

Sample answers

1. Estudia más, Patricia.
2. Darío, ve al médico.
3. Chicas, ordenen su habitación.
4. Sabrina y Ricardo, corten la verdura para la ensalada.
5. Juan, llama a un mecánico.

Prueba: Hacer preguntas (págs. 17–18)

1. Interrogativos

1. c
2. d
3. b
4. e
5. a

2. ¡Cuántas preguntas!

1. b
2. c

3. b
4. d
5. a

3. ¿Qué falta?

1. j
2. c
3. h
4. e
5. b
6. d
7. i
8. a
9. f
10. g

4. ¿Cuál es la pregunta?

Sample answers

1. ¿Adónde van Rodrigo y Alejandro?
2. ¿De dónde es el profesor de Español?
3. ¿Cuántos libros de Historia hay encima de la mesa?
4. ¿Cuál es tu deporte favorito?
5. ¿Cuándo terminan las clases de Química?

Examen: Unidad preliminar. Un paso más (págs. 19–22)

1. ¿Qué hacen?

1. voy
2. está
3. hacen
4. jugamos
5. pides

2. Estamos aprendiendo

1. c
2. a
3. c
4. d
5. b

3. ¿Qué pasó?

1. c
2. d
3. e
4. a
5. b

4. Hazlo

1. Practica
2. Compra
3. Ponga
4. Regresen
5. Tomen

Assessments Blackline Master Español Santillana. ® Santillana USA

5. ¿Cómo?

1. c
2. d
3. b
4. e
5. a

6. La fiesta de Elena

Audio script

Carla: Hola, Daniel.

Daniel: ¡Hola, Carla! No te vi ayer en la fiesta de Elena. ¿Dónde estuviste?

Carla: En mi casa. Tuve que estudiar para un examen. Pero, dime, ¿cómo estuvo la fiesta? ¿Le diste el regalo a Elena?

Daniel: Sí. Le regalé flores y una caja de chocolates. Sin embargo, tuvimos un problema. ¡No te puedes imaginar lo que pasó!

Carla: No, ¡cuéntame!

Daniel: Uno de los chicos estaba bailando y se cayó. Cuando se cayó, tiró la mesa con la comida.

Carla: ¿Sí?

Daniel: ¡Sí! Elena se puso muy nerviosa y empezó a llorar. Sus padres nos ayudaron a recoger la comida del suelo y a limpiar la sala. Después de unos minutos, pudimos arreglar la mesa y Elena se calmó. Entonces la fiesta continuó.

Carla: ¡Qué lástima! Pero bueno, lo importante es que pudieron continuar la celebración.

Daniel: Así es.

Carla: ¿Y cómo está Elena hoy?

Daniel: Pues la llamé por la mañana y me dijo que estaba contenta. Me dijo también que mi regalo de cumpleaños fue el mejor.

Carla: ¡Me alegro!

Answers

1. C
2. F
3. F
4. F
5. C

7. Tu cumpleaños

Prompt

Imagine that this past Saturday was your birthday. Your friends planned several activities for you throughout the weekend. Talk about the different activities that you did, where you went, what you ate, etc.

Sample answer

El sábado pasado fue mi cumpleaños. Por la mañana mis amigos vinieron a mi casa y me llevaron a la playa. Llevaron comida muy rica y lo pasamos muy bien. Por la tarde, fuimos a mi casa: ¡había una fiesta sorpresa para mí! Mis padres prepararon ensaladas, sándwiches; había helado y una tarta de cumpleaños muy grande. Cantamos y nos reímos mucho. ¡Y me regalaron muchas cosas! Al día siguiente, fuimos a casa de mis abuelos y almorzamos todos juntos para celebrar mi cumpleaños. ¡Cuántas celebraciones!

8. ¡Vaya semana!

1. estudia
2. los lunes
2. al cine
4. cenaron
5. descansar

9. El fin de semana pasado

Sample answer

El fin de semana pasado dormí mucho porque estaba muy cansada. El sábado por la mañana fui de compras con mi familia. Luego mis padres, mi hermano y yo comimos con mis abuelos en un restaurante peruano. Por la tarde fui al cine con mis amigos; ¡me gustó mucho la película! El domingo por la mañana fui a la playa con mi hermano porque hacía mucho calor. El domingo por la tarde hice algunas tareas para la escuela.

Unidad 1 ¿Cómo eres?

Communication	**1.1** Sets of speaking questions for all of the *Desafíos*: The questions and prompts may be used for class practice as well as for formal assessment.	**1.2** Listening comprehension and reading comprehension passages for all of the *Desafíos*.	**1.3** Writing and speaking prompts for all of the *Desafíos*: The questions and prompts may be used for class practice as well as for formal assessment.
Cultures	**2.1** Students write a short story or family "legend" that has been passed down through members of their own families.	**2.2** Students present a short biography of one of the featured painters from the unit: Velázquez, Goya, or Botero. They should include information about how the artist's life affected his style of painting, as seen in the family portraits studied in the unit.	
Connections	**3.1** Students research the historical importance of the family members pictured in *La familia de Carlos IV*. They present a short explanation of who three of the people are and why they were important in history. (History)	**3.2** Using sources in Spanish, students research the *Popol Vuh* and create a short comic strip to present their findings.	
Comparisons	**4.1** Students demonstrate an understanding of the use of the preterite and imperfect tenses in Spanish and their relationship to the past tense in English, and correctly use them to tell a familiar short story or fairy tale in Spanish.	**4.2** Students research the practice of using cartoons and comics to make political commentary in the United States and in Latin American countries. Students compare cartoons like Mafalda to similar figures in American culture.	
Communities	**5.1** Students make an extended family album, labeling all family members in Spanish, and writing a short description or narration about each person using the target language from the unit.	**5.2** Students read comic strips featuring Mafalda, Condorito, and other iconic characters in Spanish. Students compile several of their favorite comic strips into a collection and reflect about their appeal.	

Assessments Blackline Master Español Santillana. ® Santillana USA

Prueba:
Desafío 1 (págs. 23–24)

1. Descripciones

1. C
2. D
3. E
4. A
5. B

2. ¿Cómo son?

1. d
2. c
3. c
4. b
5. d

3. Más que, menos que

1. b
2. b
3. d
4. a
5. c

4. Ser y estar

1. es
2. está
3. Son
4. están
5. es

Prueba:
Desafío 2 (págs. 25–26)

1. Relaciones familiares

1. b
2. c
3. a
4. b
5. b

2. Mi familia

1. c
2. e
3. a
4. b
5. d

3. De niño

1. d
2. a
3. e
4. b
5. c

4. Tuyo, nuestro

1. b
2. c
3. b
4. c
5. b

5. Antes y ahora

1. vivía
2. viajábamos
3. leía
4. veíamos
5. ibas

Prueba:
Desafío 3 (págs. 27–28)

1. Celebraciones

1. C
2. D
3. E
4. A
5. B

2. Una vida al piano

1. c
2. a
3. b
4. e
5. d

3. Cosas de familia

1. d
2. c
3. a
4. c
5. c

4. En el pasado

1. sabía
2. leí
3. jugaba
4. comenzó
5. viajé

Prueba:
Desafíos 1–3 (págs. 29–30)

1. Personas

1. b
2. c
3. a
4. d
5. b

2. Rasgos y cualidades

1. b
2. d
3. a
4. e
5. c

3. En familia

1. d
2. e
3. a
4. b
5. c

4. Facilísimo

1. famosísima
2. carísimas
3. guapísimo
4. interesantísimo
5. divertidísimos

5. ¿Cómo están?

1. está
2. están
3. Es
4. son
5. está

Examen: Unidad 1.
¿Cómo eres? (págs. 31–36)

1. Distintas personas

1. B
2. D
3. A
4. C
5. E

2. Oraciones incompletas

1. e
2. a
3. c
4. d
5. b

3. Antiguas costumbres

1. d
2. d
3. b
4. c
5. b

4. En pasado continuo

1. estaba leyendo
2. estaba haciendo

3. estaba trabajando
4. estaba viendo
5. estaba pensando
6. estaban jugando
7. estaba contando
8. estaba durmiendo
9. estaban preparando
10. estaba viajando

5. En Latinoamérica

1. b
2. a
3. c
4. b
5. a

6. Más sobre Latinoamérica

1. Miguel de Cervantes.
2. Son historias fantásticas que se presentan como hechos reales.
3. Por la emigración de chinos y japoneses a Perú.
4. Es una escritora de origen puertorriqueño.
5. Un pintor español del siglo XVIII.

7. Un amigo fiel
Audio script

Los buenos amigos son muy importantes. Vemos esto en la vida y en la literatura. La novela *Don Quijote de la Mancha* es un ejemplo de amistad. En la novela, los personajes principales dependían el uno del otro. Al principio de la novela, nos cuentan que don Quijote era un hombre viejo que leía muchos libros de aventuras. Él se imaginó que era un caballero medieval como los protagonistas de los libros que leía. Como

don Quijote necesitaba un compañero de aventuras, lo acompañó Sancho Panza. Don Quijote y Sancho Panza eran muy diferentes. Don Quijote era alto y muy delgado. Tenía barba y bigote. Era un hombre cortés, bondadoso, inteligente y seguro de sí mismo. Sancho Panza, al contrario, era bajo y gordo. Sancho era un hombre muy comprensivo y un amigo fiel que ayudaba y cuidaba a don Quijote. Los dos amigos vivieron juntos muchas aventuras.

Answers

1. C
2. C
3. F
4. F
5. C

8. Tu gente, tu vida
Questions

1. ¿Cómo es tu familia?
2. ¿Adónde fueron tus amigos ayer por la tarde?
3. ¿Cómo eras de pequeño(a)?

Sample answers

1. Mi familia es bastante grande. Tengo dos hermanos y una hermana. Mi hermano mayor está casado y tiene una niña. Tengo muchos tíos y primos. Visito a mis abuelos maternos con frecuencia, pero mis abuelos paternos viven en otra ciudad.
2. Ayer por la tarde, después de la escuela, mis amigos

fueron al parque a jugar un partido de fútbol.
3. De pequeño, tenía el pelo corto y muy rizado, y tenía muchas pecas. Era estudioso y muy tímido.

9. El abuelo Ramiro

1. a
2. b
3. c
4. c
5. c

10. Tu familia
Sample answers

1. El miembro más joven de mi familia es mi hermano José. Tiene seis años. Es espontáneo y travieso, y es muy cariñoso.
2. Mi abuelo paterno es alto y fuerte. No es gordo, pero tampoco es delgado. Su pelo es lacio y blanco. Tiene bigote y barba, que también son blancos, y lleva gafas.
3. Recuerdo que mi mamá me llevaba a la escuela. En verano jugaba con mis primos en el jardín de la casa de mis abuelos. A veces discutía con mi hermana, pero siempre estábamos juntos.
4. Mi hermano mayor está soltero, pero está prometido con su novia, Helen.
5. Ayer por la tarde estuve en casa. Hice mi tarea para la escuela, hablé por teléfono con mi amigo Antonio y escribí algunos correos electrónicos.

Communication	**1.1** Sets of speaking questions for all of the *Desafíos*: The questions and prompts may be used for class practice as well as for formal assessment.	**1.2** Listening comprehension and reading comprehension passages for all of the *Desafíos*.	**1.3** Writing and speaking prompts for all of the *Desafíos*: The questions and prompts may be used for class practice as well as for formal assessment.
Cultures	**2.1** Students research the current usage of social networking websites in Spain and Latin America. They present their findings using text and graphics, and cite their sources. As a class, they make a list of the most commonly referenced social networking websites among Spanish speakers.	**2.2** In pairs or small groups, students learn the basic steps to one typical Latin dance, then teach their classmates the dance steps. They should include authentic music as accompaniment.	
Connections	**3.1** Using the Internet or other sources, students research and present the rules to play *pelota mixteca*. They then host their own game of *pelota mixteca*. (Physical Education)	**3.2** Students read three poems by Gustavo Adolfo Bécquer. They then write their own *Rima*, expressing love, friendship, or some other sentiment.	
Comparisons	**4.1** Students identify the ways to express reflexive and reciprocal actions in English and in Spanish, and use the correct forms to talk about daily routines in both languages.	**4.2** Students write a short reflection comparing and contrasting the ways people celebrate Valentine's Day and *la Fiesta de san Jordi*.	
Communities	**5.1** Students place and receive telephone calls relating to everyday topics.	**5.2** Students use Spanish to plan a celebration and invite friends, family, and members of their community.	

Prueba: Desafío 1 (págs. 37–38)

1. Cosas del amor y de la amistad

1. c
2. d
3. b
4. a
5. e

2. Sentimientos

1. b
2. c
3. b
4. a
5. a

3. Cosas que pasan

1. c   6. b
2. g   7. e
3. h   8. j
4. f   9. i
5. a   10. d

4. Del amor

1. a
2. d
3. b
4. b
5. d

Prueba: Desafío 2 (págs. 39–40)

1. ¿Quieres?

1. c
2. b
3. e
4. a
5. d

2. Vida social

1. b
2. a
3. c
4. d
5. c

3. Deseos y preferencias

1. c
2. b
3. d
4. a
5. c

4. Con se

1. se sale
2. se aprendió
3. se quedó
4. se acuestan
5. se va

Prueba: Desafío 3 (págs. 41–42)

1. Teléfonos

1. B
2. D
3. A
4. E
5. C

2. Varias llamadas

1. e
2. a
3. d
4. c
5. b

3. En el futuro

1. c
2. d
3. b
4. a
5. c

4. Consejos

Answers will vary

1. Carmen tiene que estudiar Español.
2. Leonardo debe tomar una aspirina y descansar.
3. Ellas tienen que hacer ejercicio.
4. Mario debe devolver la llamada.
5. Ustedes tienen que aprender a nadar.

Prueba: Desafíos 1–3 (págs. 43–44)

1. Diálogos incompletos

1. b
2. c
3. a
4. a
5. b

2. Conversaciones

1. d
2. e
3. b
4. a
5. c

3. ¿Qué sucedió?

1. e
2. b
3. a
4. c
5. d

4. Practica con pronombres

1. c   6. c
2. b   7. d
3. c   8. a
4. b   9. c
5. a   10. b

Examen: Unidad 2. Entre amigos (págs. 45–50)

1. Acciones

1. D
2. B
3. C
4. A
5. E

2. La tía Jimena

1. c
2. e
3. b
4. a
5. d

3. Planes

1. d. - saldrá
2. c. - querrán
3. b. - pondremos
4. e. - valdrán
5. d. - harás

4. Rutina familiar

1. c
2. b
3. b
4. d
5. a

5. Cuestión de gustos

1. nos encanta
2. Me interesa

Assessments Blackline Master Español Santillana. ® Santillana USA

3. le importa
4. me apetece
5. les gusta

6. ¿Cuánto sabes de cultura hispana?

1. a   6. b
2. b   7. c
3. b   8. c
4. a   9. a
5. c   10. a

7. Problemas de amor

Audio script

Liza: ¿Sí?

Mari: Hola, soy Mari. Recibí tu mensaje de texto. ¿Qué te pasa, Liza?

Liza: Hola, Mari. Gracias por llamar. Mi novio Carlos y yo rompimos anoche.

Mari: ¿Por qué? ¡Si están muy enamorados! Son novios desde hace tres meses…

Liza: Se puso celoso porque Sergio y yo nos vimos ayer.

Mari: ¿Sergio? ¿El que fue tu novio? Pero ustedes rompieron hace dos años…

Liza: Tienes razón. No somos novios ahora, pero seguimos en contacto. Tengo confianza con él. Nos entendemos bien. A veces nos enviamos mensajes de texto y podemos decir que somos amigos.

Mari: ¿Y qué dijo Carlos?

Liza: Fue horrible. Empezamos a discutir. Me dijo que no puede confiar en mí. Dijo que yo no lo respeto y que nunca estuve enamorada de él. Luego, me preguntó si Sergio y yo estamos enamorados.

Mari: ¿Y qué le dijiste?

Liza: Le dije que Sergio y yo fuimos novios en el pasado, pero que rompimos y acordamos ser amigos. Le dije que no debe preocuparse. Lo quiero muchísimo. Pero él me dijo que yo mentía, que no le decía la verdad. En ese

momento me echó la culpa y rompimos.

Mari: Debes llamarlo. Cuando hablen quizás puedan reconciliarse.

Liza: Sí. Le diré que lo quiero a él y solo a él.

Mari: Me parece un buen plan. ¡Marca el número! ¡Llámalo ahora mismo!

Answers

1. celoso
2. tiene confianza
3. respeta
4. amigos
5. reconciliarse

8. Tu vida personal y social

Questions

1. ¿En quiénes confías?
2. Si no quieres salir con alguien, ¿qué le dices?
3. ¿Cómo imaginas la vida en el futuro?

Sample answers

1. Confío mucho en mis padres y en mis hermanos. También confío en mis amigos.
2. Muchas gracias por la invitación, pero hoy no puedo salir. Lo siento.
3. Viviremos en ciudades muy grandes. Nos comunicaremos mucho a través del celular y la computadora. Inventaremos medios de transporte más ecológicos. Yo seré juez, me casaré y tendré muchos hijos.

9. Un correo de mamá

1. c
2. b
3. c
4. a
5. b

10. Tus amigos

Sample answers

1. Mis mejores amigos se llaman Carla y David. Nos

conocemos desde que teníamos seis años porque fuimos juntos a la escuela. David y yo ya no vamos a la misma escuela, pero nos llevamos muy bien y nos vemos con frecuencia. Jugamos juntos al fútbol y al tenis. Carla y yo somos compañeros de clase. Muchas veces estudiamos juntos en la biblioteca. También quedamos para ir al cine los fines de semana.

2. Hoy estaré en la escuela hasta las cuatro. Después iré a casa y estudiaré; tengo muchas tareas para mañana. Más tarde saldré con mi hermana a correr por el parque; nos gusta hacer ejercicio cada día. Por la noche, cenaré con mi familia y me acostaré pronto.

3. El próximo mes iré a visitar a una amiga que vive en otro estado. Nos conocemos desde hace muchos años y nos llevamos muy bien. Nos gusta mucho ir a pasear y hablar de nuestras cosas.

4. Llamo a mis amigos por teléfono cuando quiero contarles alguna cosa o cuando necesito pedirles algo. También los llamo para hacer planes con ellos. Los llamo con mucha frecuencia, sobre todo los fines de semana.

5. Sí, me gusta enviar mensajes de texto a mis amigos. Así podemos hacer planes rápidamente y estar comunicados todo el tiempo.

Unidad 3 Tus cosas

Communication	**1.1** Sets of speaking questions for all of the *Desafíos*: The questions and prompts may be used for class practice as well as for formal assessment.	**1.2** Listening comprehension and reading comprehension passages for all of the *Desafíos*.	**1.3** Writing and speaking prompts for all of the *Desafíos*: The questions and prompts may be used for class practice as well as for formal assessment.
Cultures	**2.1** Students research and present the history, present use, and distinctive features of colonial-style haciendas in Latin America and the Caribbean.	**2.2** Students research the traditional costume of one region of Spain or Latin America. They present their findings to the class in a short paragraph, accompanied by photos or drawings of the clothing.	
Connections	**3.1** Students research data about the recycling habits of populations in Spain or Latin America, then present their findings to the class in a small poster. They should use text and images to communicate their findings. (Science)	**3.2** Using the Internet or other sources, students read authentic information about haciendas in Latin America and the Caribbean, then create a tourist brochure presenting the most salient features of the hacienda, it surroundings, and the region in which it is located.	
Comparisons	**4.1** Students make associations between the use of the impersonal *se* construction in Spanish and parallel constructions in English, and use them correctly in speaking and writing.	**4.2** Students compare and contrast the *wiphala* with their national, state, and community flags in terms of their history and significance.	
Communities	**5.1** Students identify a garage sale, rummage sale, or similar event in their community, then write a short press release about the event, describing several of the most interesting items to be sold.	**5.2** Students select one video online showing a typical *flamenco* performance. They write a short description and review indicating their opinion of the dance.	

Prueba:
Desafío 1 (págs. 51–52)

1. Para vestirse

1. E
2. B
3. D
4. C
5. A

2. Mi ropa

1. d
2. d
3. a
4. c
5. a

3. Abierto, cerrado

1. d
2. e
3. a
4. b
5. c

4. Me gustan los participios

1. fabricado
2. cerrada
3. preparados
4. roto
5. cubierto

5. En presente perfecto

1. he visto
2. ha saludado
3. has puesto
4. hemos ido
5. han escrito

Prueba:
Desafío 2 (págs. 53–54)

1. Materiales

1. c
2. e
3. a
4. d
5. b

2. ¿Cómo son?

1. c
2. b
3. c
4. a
5. a

3. Cantidad y existencia

1. c
2. b
3. e
4. d
5. a

4. En el mercadillo

1. c
2. a
3. d
4. b
5. e

5. Dilo con *se*

1. En el mercado se venden muchas lámparas.
2. Algunas artesanías de madera se hacen a mano.
3. En mi escuela se prohíbe hablar por teléfono.
4. En mi comunidad se necesitan varios profesores de natación.
5. En la biblioteca se pueden leer muchos libros.

Prueba:
Desafío 3 (págs. 55–56)

1. Tareas del hogar

1. d
2. c
3. c
4. a
5. b

2. Oficios

1. c
2. e
3. d
4. a
5. b

3. Oraciones lógicas

1. d
2. a
3. e
4. b
5. c

4. Antes del pasado

1. había leído
2. habíamos limpiado

3. había llegado
4. habías terminado
5. había guardado

5. ¿Esta o aquella?

1. a
2. b
3. d
4. a
5. c

Prueba:
Desafíos 1–3 (págs. 57–58)

1. ¡Qué elegante!

1. c
2. d
3. b
4. e
5. a

2. Todo lo necesario

1. d
2. d
3. a
4. b
5. b

3. ¿Cuántos?

1. d
2. a
3. e
4. b
5. c

4. ¿Qué pasado?

1. c
2. a
3. b
4. c
5. a

Examen: Unidad 3.
Tus cosas (págs. 59–64)

1. Limpio mi casita

1. E
2. A
3. C
4. B
5. D

2. Forma, color, textura, tamaño

1. b
2. c
3. a

4. e
5. d

3. He dicho

1. d
2. b
3. d
4. c
5. a

4. Demostrativos

1. d
2. b
3. c
4. a
5. e

5. Preguntas culturales

1. La whipala es la bandera de los pueblos nativos de los Andes.
2. El flamenco nació en Andalucía, en el sur de España.
3. Carolina Herrera, Oscar de la Renta y Narciso Rodríguez.
4. Se creó con el objetivo de sensibilizar a la población sobre los temas medioambientales.
5. Se celebra en el mes de mayo en Córdoba (España).

6. Las casas de Mercedes

Audio script

El año pasado mi familia y yo nos mudamos de Ecuador a Perú. Habíamos vivido tres años en Ecuador, en Quito. Vivíamos en una casa antigua pero muy bonita. Los muebles eran de madera auténtica y había alfombras de lana en todas las habitaciones. La alfombra de mi cuarto era rectangular y tenía muchos colores: azul brillante, rojo y amarillo. Era una alfombra muy suave y de muy buena calidad. Nuestra casa de Quito estaba arreglada pero no tenía muchos electrodomésticos. Mis padres hacían las tareas domésticas. Mi papá lavaba los platos, limpiaba el polvo y barría y fregaba el suelo. Mi mamá se ocupaba de lavar y tender la ropa. Yo ayudaba a mi mamá.

En nuestra casa nueva, en Lima, tenemos una lavadora, una secadora y un lavaplatos. ¡Qué felicidad! Así es más fácil hacerlo todo. No hay alfombras en todas las habitaciones pero las paredes están pintadas de colores verdosos. Se ven muy elegantes. Mi habitación es cuadrada y tiene una ventana redonda. Desde mi ventana se puede ver el mercado de artesanías, el parque y la biblioteca. Me gusta mucho vivir aquí.

Answers

1. madera
2. lana
3. lavar
4. verdosos
5. redonda

7. Tu ropa, tu casa

Questions

1. ¿De qué material es tu chaqueta favorita?
2. ¿Qué ropa usas durante el fin de semana?
3. ¿Cómo es el sofá de la sala de tu casa?

Sample answers

1. Mi chaqueta favorita es de lana. ¡Es muy suave!
2. Durante el fin de semana uso jeans, camisetas y zapatos planos. Si salgo con mis amigos, me pongo una falda y una blusa o un vestido y zapatos de tacón. Si hace frío, llevo una chaqueta de cuero.
3. El sofá de la sala de mi casa es grande. Es de cuero de color blanco. Es blando y cómodo.

8. Anuncios

1. F
2. F
3. C
4. F
5. C

9. Cosas tuyas

Sample answers

1. Uso un trapo para limpiar el polvo. Utilizo la escoba y el recogedor cuando tengo que barrer el suelo, aunque para limpiar toda la casa suelo usar una aspiradora. Para fregar el suelo utilizo un cubo y un trapeador.
2. Me gusta llevar ropa cómoda. Ahora llevo unos jeans claros, una camisa roja de algodón y una chaqueta negra con cremallera porque hoy hace frío. Llevo también un cinturón de cuero negro y unos zapatos planos.
3. Las mesas y las sillas son de madera y hierro. Las ventanas son de vidrio y metal. En el salón de clase hay también papeleras de plástico y lámparas de cristal y metal.
4. Hoy me he levantado a las siete y media. Me he duchado, he desayunado y me he vestido. Después, he tomado el autobús para venir a la escuela. Y en la escuela, ¡he estudiado mucho!
5. Cuando comenzó este curso escolar, había visitado algunos países hispanohablantes, como México, Guatemala y Costa Rica, así que había visto algunos monumentos de la cultura maya y había estado en algunos parques naturales de Costa Rica.

Unidad 4 Vida sana

Communication	**1.1** Sets of speaking questions for all of the *Desafíos*: The questions and prompts may be used for class practice as well as for formal assessment.	**1.2** Listening comprehension and reading comprehension passages for all of the *Desafíos*.	**1.3** Writing and speaking prompts for all of the *Desafíos*: The questions and prompts may be used for class practice as well as for formal assessment.
Cultures	**2.1** Using the Internet, students find a hot springs resort in Spain or Latin America, then prepare a short presentation to convince their classmates of the benefits of visiting the resort.		**2.2** Students write an original legend about the origin of the potato, reflecting cultural elements of the Andes region.
Connections	**3.1** Students research the nutritional benefits of quinoa, then present their findings in a promotional brochure. (Science, Health)		**3.2** Students research about the life of Jorge Reynolds Pombo, then write a letter to him asking him questions about his life and his invention, and giving him recommendations for future inventions.
Comparisons	**4.1** Students associate various ways to give direct and indirect commands in English and in Spanish, and use them correctly in speaking and in writing.		**4.2** Students compare *ropa vieja* with a similar dish from their own culture, then present the similarities and differences in a short presentation, using photos, images, or real food products when appropriate.
Communities	**5.1** Students make a poster in Spanish promoting the benefits of organ donation or of a healthy diet. If possible, they display the poster in a public place in the community, such as a local hospital or health clinic.		**5.2** Students keep a food journal for three days, indicating foods and beverages consumed, physical activity performed, and their health symptoms. They exchange journals with a partner, then write a short reflection evaluating their partner's nutritional and health habits, and make recommendations for them for the next week.

Prueba:
Desafío 1 (págs. 65–66)

1. Para comer bien

1. c
2. a
3. b
4. a
5. b

2. Alimentos y nutrientes

1. b
2. a
3. e
4. d
5. c

3. Hazlo

1. c
2. a
3. b
4. e
5. d

4. Cambios

1. d. - se pusieron
2. a. - se quedó
3. e. - se volvieron
4. b. - se hizo
5. c. - se convirtió

5. ¡Hagámoslo!

1. Vayamos
2. Comamos
3. Llevemos
4. Compremos
5. Regresemos

Prueba:
Desafío 2 (págs. 67–68)

1. Objetos de higiene

1. D
2. C
3. B
4. E
5. A

2. A cuidarse

1. e
2. b
3. a
4. c
5. d

3. Es necesario

1. a
2. c
3. c
4. c
5. b

4. Por mí, para ti

1. por
2. para
3. Para
4. por
5. Para

Prueba:
Desafío 3 (págs. 69–70)

1. Control médico

1. b
2. d
3. c
4. b
5. a

2. Conoce tu cuerpo

1. e
2. d
3. c
4. b
5. a

3. Recomendaciones

1. b
2. a
3. c
4. b
5. a

4. Si pudieran…

1. Tú comerías en un restaurante con tu novia.
2. El señor Campos arreglaría la casa de su familia.
3. Tú y yo compraríamos el CD del cantante colombiano.
4. Yo viajaría al Caribe con mis amigos.
5. La abuela le enviaría un regalo a Alberto.

Prueba:
Desafíos 1–3 (págs. 71–72)

1. De salud

1. c
2. b
3. d
4. b
5. a

2. Nos cuidamos

1. e
2. b
3. d
4. a
5. c

3. ¿Ya controlas *por* y *para*?

1. e
2. d
3. b
4. a
5. c

4. ¿Qué harías?

1. b
2. d
3. c
4. a
5. b

5. ¡No lo hagan!

1. no haga
2. no crean
3. no seas
4. no vayan
5. no trabajes

Examen: Unidad 4.
Vida sana (págs. 73–78)

1. Con un poco de lógica

1. b
2. e
3. d
4. a
5. c

2. Opciones saludables

1. a
2. c
3. b
4. c
5. d

3. Consejos

1. b
2. d
3. a
4. b
5. c

4. Cuidémonos

1. c - preparemos
2. e - levantémonos
3. a - practiquemos
4. d - corramos
5. b - estudiemos

5. La nutrición y la salud

1. ropa vieja
2. quinua
3. playas
4. aguas termales
5. maíz

6. Lugares saludables

Sample answers

1. Las aguas termales suelen estar situadas cerca de zonas volcánicas.
2. El hospital más antiguo de las Américas es el Hospital de Jesús. Está en la Ciudad de México.
3. España es líder mundial en donación de órganos.
4. El maíz, el trigo y las papas son alimentos esenciales en el mundo hispano.
5. Los molinos de viento se utilizaban antiguamente para moler el grano del trigo. Se ven con frecuencia en el paisaje de Castilla, la región central de España.

7. En la consulta

Audio script

Sra. Pérez: Buenos días, doctora Carranza. Aquí estoy con mi hija Gisela porque ella tiene un problema de alimentación. Come muy poco y, cuando come, come comida basura. Estoy muy preocupada. ¿Nos podría hacer algunas sugerencias? Quiero que ella entienda la importancia de una alimentación saludable.

Dra. Carranza: Claro que le daré información. Gisela, ¿por qué no comes bien?

Gisela: Es que no quiero aumentar de peso y la comida basura es rápida y sabrosa.

Dra. Carranza: Sí, pero esta comida le hace daño al cuerpo. Quiero que comiences a comer mejor. Cocina con aceite de oliva, come hortalizas y frutas, come poca carne roja y más carne blanca y pescado. No comas muchos dulces ni comida grasosa.

Sra. Pérez: Escucha a la doctora, Gisela…

Dra. Carranza: Además, es importante que tomes ocho vasos de agua diariamente. Esta dieta que te propongo tiene menos calorías, suficiente fibra y muchas vitaminas. También te sentirás mucho mejor si haces ejercicios aeróbicos. Me gustaría verte en dos meses otra vez, y entonces te haré una revisión médica y unos análisis. ¿Estás de acuerdo?

Gisela: Sí, doctora. Gracias.

Sra. Pérez: Muchas gracias, doctora Carranza. Es bueno que Gisela siga todas sus recomendaciones.

Answers

1. F
2. C
3. C
4. C
5. F

8. ¿Tú te cuidas?

Questions

1. Si te das un golpe fuerte en la cabeza, ¿qué te podría pasar?
2. ¿Qué alimentos come un vegetariano?
3. ¿Qué medicamentos te puede recetar el médico si estás enfermo?

Sample answers

1. Si me doy un golpe en la cabeza, podría sentirme mareado(a) y podría tener la cabeza hinchada. Además, me dolería.
2. Un vegetariano come muchas verduras, hortalizas y legumbres. Algunos comen huevos y lácteos. Normalmente comen también muchos cereales y frutas.
3. El médico me puede recetar un jarabe si tengo tos o un antibiótico si tengo una infección.

9. El artículo de hoy

1. dieta
2. salmón
3. estresada
4. revisión médica
5. oculista

10. Por tu salud

Sample answers

1. Es necesario hacer una radiografía si te rompes un hueso.
2. Cuando me voy de viaje me llevo gel, champú y desodorante. Para cuidar mi boca, me llevo hilo dental, un cepillo y pasta de dientes. También me llevo un cortaúñas y un peine.
3. Yo le aconsejaría que practicara yoga y que hiciera ejercicio cada día.
4. No se debe comer comida basura porque contiene mucha grasa y muy pocas vitaminas.
5. Debes ir al dentista. Yo voy una vez al año. No me gusta ir porque me pongo muy nervioso(a).

Examen: Unidades preliminar, 1, 2, 3 y 4
(págs. 79–86)

1. Rasgos físicos

1. A
2. C
3. B
4. E
5. D

2. Muchas llamadas

1. c
2. a
3. e
4. b
5. d

3. Ropa y casa

1. a
2. d
3. b
4. c
5. c

4. La médica

1. c
2. d
3. a
4. e
5. b

5. ¿Fue o era?

1. c. - escribió
2. e. - estuvimos
3. a. - jugaba
4. b. - eran
5. d. - hablé

6. Parece que sí

1. a
2. d
3. b
4. b
5. d

7. Para ti

1. para
2. Por
3. por
4. Para
5. para

8. Habían vivido

1. había planchado
2. habían dejado
3. había visto
4. había arreglado
5. habíamos abierto

9. Lo recomendable

1. b
2. a
3. d
4. a
5. d

10. Una red de ideas
Sample answers

1. La población: muy diversa; en Latinoamérica hay una mezcla de herencia española, indígena y africana.
2. Las fiestas: comparsas en el Carnaval en Montevideo (Uruguay); el Grito de Dolores en México; los *castells* en Cataluña (España).
3. Las ciudades coloniales: en el centro de la ciudad está la plaza mayor; alrededor de la plaza mayor están la catedral, el ayuntamiento, el palacio del gobernador…; ejemplos: Santo Domingo, La Habana, Cartagena, Lima.
4. Los alimentos: el maíz (esencial en la alimentación de los mayas y los aztecas, se consume principalmente en México y Centroamérica); el trigo (el cereal más importante en España); la papa (3.000 tipos se cultivan en Perú); la yuca (Brasil y Paraguay).

11. Mi vida en familia
Audio script

Hola. Soy Daniel Sánchez y les quiero contar cómo son mi vida y mi familia.

La verdad es que, en mi juventud, yo nunca pensé en casarme. Tal vez nunca había querido a ninguna chica en serio. Además, estaba muy dedicado a mi trabajo. Cuando cumplí veintiséis años, abrí una consulta de psicología y empecé a pasar casi todo el día allí.

Un día, mi hermana me presentó a Sara, una amiga suya que además era su monitora de yoga. Era una chica risueña y amistosa. Tenía veinticinco años. Justo en el momento de conocernos, ella se convirtió en el amor de mi vida. Nos casamos al año siguiente. Sinceramente, creo que estaré enamorado de Sara hasta la muerte.

Después nació Luis, nuestro hijo. Cuando Luis tenía seis meses, la pediatra descubrió que no podía digerir bien algunos alimentos. Por eso Luis debe seguir una dieta especial, natural y saludable para él. Desde hace unos años, todos en la familia seguimos una dieta vegetariana. En nuestro jardín, cultivamos las hortalizas, las verduras y las frutas que consumimos a diario. Yo sigo con mi consulta de psicología, pero me gusta más trabajar en mi jardín. ¡A Luis le encanta que su padre sea psicólogo y jardinero!

Sé que cuando una familia se cuida y se respeta, todo va bien. Mi familia es mi vida. Yo les deseo a ustedes que algún día encuentren a alguien como Sara y que tengan hijos tan maravillosos como Luis.

Answers

1. casarse
2. el amor
3. vegetariana

4. jardinero
5. la muerte

12. Ponte a prueba
Questions

1. ¿Qué productos se pueden utilizar para hacer tus tareas domésticas?
2. ¿Por qué se preocupan tus padres de ti cuando sales con tus amigos?
3. ¿Qué tipos de ejercicios deberías hacer para bajar de peso?

Sample answers

1. Cuando barro el suelo, uso la escoba y el recogedor. Después, uso el trapeador y un cubo para limpiar el suelo.
2. Cuando salgo con mis amigos, mis padres se preocupan de mí porque es posible que tenga un accidente en el coche. También les preocupa que no esté en casa estudiando, y por eso que no saque buenas notas en mis clases.
3. Para bajar de peso, debo caminar y correr con frecuencia. También puedo nadar o patinar para quedarme activa todos los días.

13. Desaparecido

1. c
2. b
3. c
4. a
5. c

14. En tu vida
Sample answers

1. Yo he tenido que barrer el suelo, cargar el lavaplatos, tender la ropa y cuidar al gato.
2. Mi vestido favorito es de color rojo. Es de algodón y es muy suave.
3. Yo tuve una infancia muy feliz. La adolescencia es más difícil, pero ahora soy feliz también.
4. Para tener una buena amistad, es importante ser comprensivo y fiel con tus amigos. Es preciso confiar en la otra persona y hay que perdonar y disculparse cuando hay un problema.
5. Para estar en forma, es necesario alimentarse bien y hacer ejercicio a menudo. Es conveniente hacerse una revisión médica al año.

Unidad 5 ¿Trabajas?

Communication	**1.1** Sets of speaking questions for all of the *Desafíos*: The questions and prompts may be used for class practice as well as for formal assessment.	**1.2** Listening comprehension and reading comprehension passages for all of the *Desafíos*.	**1.3** Writing and speaking prompts for all of the *Desafíos*: The questions and prompts may be used for class practice as well as for formal assessment.
Cultures	**2.1** Students research a sustainable tourism opportunity that they would like experience in Spain or Latin America. They prepare a short informational presentation about the opportunity and its benefits for tourists and the local community.	**2.2** Students research about the life of Dolores Huerta, then compare her to another civil rights leader in history by creating a Venn diagram.	
Connections	**3.1** Students create a "Quick-Start Guide" for a technological tool they use frequently. Using text and images, they explain how to perform some common functions or troubleshoot common problems. (Technology)	**3.2** Students read about the Frente de Defensa de la Amazonía online, then present a short report about the organization and some of its current projects and efforts.	
Comparisons	**4.1** Students associate the ways to express difficulty and doubt in English and in Spanish, and use them correctly in speaking and in writing.	**4.2** Students compare the Fundación Pies Descalzos with another organization that is active in their country or community. They should present the similarities and differences in a small brochure promoting both organizations.	
Communities	**5.1** Students identify volunteer organizations or opportunities in their community that use Spanish. As a class, students make a master list of these organizations and opportunities for future use in community service projects.	**5.2** Students watch Spanish-language TV, listen to Spanish-language radio programming, or read a Spanish-language news publication from their community. They prepare a short reflection on the experience.	

Assessments Blackline Master Español Santillana. ® Santillana USA

UNIDAD 5
Answer Key

Prueba:
Desafío 1 (págs. 87–88)

1. Profesionales
1. B
2. A
3. D
4. C
5. E

2. ¿En qué trabajan?
1. c
2. d
3. a
4. b
5. e

3. Es cierto que...
1. e
2. a
3. b
4. c
5. d

4. ¡Cuántas cosas querían!
1. d
2. d
3. b
4. c
5. a

5. ¿Subjuntivo o indicativo?
1. son
2. cantáramos
3. bebas
4. venga
5. fuera

Prueba:
Desafío 2 (págs. 89–90)

1. En la oficina
1. d
2. c
3. a
4. b
5. a

2. Buenos trabajadores
1. c
2. a
3. d
4. b
5. e

3. Descripciones
1. d
2. d
3. c
4. c
5. a

4. ¡Artículos!
1. El
2. La
3. Las
4. Los
5. El
6. los
7. La
8. las
9. La
10. El

Prueba:
Desafío 3 (págs. 91–92)

1. Por un mundo mejor
1. d
2. b
3. e
4. c
5. a

2. Todos cooperamos
1. a
2. b
3. a
4. d
5. c

3. Aunque sea difícil...
1. b
2. d
3. e
4. a
5. c

4. Mis sentimientos
1. d
2. c
3. b
4. d
5. a

Prueba:
Desafíos 1–3 (págs. 93–94)

1. Asociaciones
1. b
2. d
3. e
4. a
5. c

2. Cuestiones laborales
1. b
2. d
3. a
4. c
5. a

3. Necesito...
1. b
2. d
3. a
4. e
5. c

4. Muchos obstáculos
1. a
2. c
3. a
4. b
5. b

5. Sentimientos y dificultades
1. e - tenía
2. d - recibieras
3. c - pudieran
4. a - aprendieran
5. b - quisiera

Examen: Unidad 5.
¿Trabajas? (págs. 95–100)

1. ¿Quién es quién?
1. C
2. D
3. A
4. E
5. B

2. Cosas importantes
1. b
2. d
3. e
4. a
5. c

3. Consejos
1. c
2. a
3. d
4. b
5. b

4. ¡Cuántos artículos!
1. d
2. b

3. d
4. c
5. c

5. Historia y actualidad

Sample answers

1. César Chávez fue un líder estadounidense de origen mexicano que trabajó por los derechos de los trabajadores.
2. Franklin R. Chang-Díaz (Costa Rica), Fernando Caldeiro (Argentina), Carlos Noriega (Perú) y Pedro Duque (España).
3. El periódico en español más antiguo de los Estados Unidos es *El Diario La Prensa*.
4. Univisión y Telemundo son cadenas de televisión en español.
5. Es un tipo de turismo que trata de respetar al máximo la naturaleza, la cultura y la sociedad del lugar.

6. Los trabajos de Cristina

Audio script

Mi nombre es Cristina Rodríguez y soy periodista de Univisión. Voy a contarles cómo he llegado a tener esta profesión.

Cuando era estudiante no sabía qué hacer con mi futuro, pero sabía que quería un trabajo que me gustara. Decidí confiar en mí misma, no dudar de mi intuición y estudiar aquellas cosas que me parecían interesantes. También quería tener diferentes experiencias laborales para poder elegir bien el trabajo definitivo. Después de graduarme, empecé a trabajar como secretaria en la empresa de unos diseñadores gráficos. Allí gané mi primer sueldo imprimiendo documentos y fotocopiando informes. Después busqué un trabajo donde pudiera ser más creativa. Estudié Informática y trabajé varios años como programadora informática. Un día, navegando por Internet, vi que había cooperantes que trabajaban en lugares peligrosos del mundo. Me sorprendió que ellos dieran todo su tiempo para ayudar a otros. En ese momento descubrí mi futuro. Quería ir a los países con problemas y colaborar con alguna organización. Después de trabajar varios años como cooperante, empecé a escribir para algunos periódicos, contando noticias sobre los países donde yo vivía. Así me convertí en periodista. Además de investigar e informar, sigo ayudando a la sociedad con trabajo voluntario. Un mes al año ayudo a construir escuelas en África. Esto me hace feliz. El trabajo humanitario es nuestro deber.

Answer

1. F
2. F
3. C
4. C
5. C

7. Mi profesión

Prompt

Imagine that you have been researching different career choices. You want a job that will let you travel around the world. Talk about the different professions that would give you the freedom of working in other countries.

Sample answer

Me gustaría ser periodista. Los periodistas viajan a diferentes países para hacer reportajes. Otros profesionales que viajan mucho son los pilotos. En ocasiones, los pilotos visitan varios países en pocos días porque tienen que volar de un aeropuerto a otro. Los traductores también viajan mucho. Muchos traductores trabajan en eventos internacionales que se celebran en diferentes países.

8. La carta de Lucía

1. un coordinador
2. ciudadanos
3. Internet
4. convivir
5. colaboración

9. ¿Trabajas?

Sample answers

1. Yo quiero ser escritor de novelas y me gustaría que mucha gente leyera mis libros.
2. El gerente de una empresa debe ser organizado, eficiente, responsable, emprendedor, exigente y amable.
3. Los periodistas investigan lo que pasa en el mundo y nos informan.
4. Yo prefiero trabajar a jornada completa para poder ganar el dinero suficiente para vivir.
5. Sí, me gustaría trabajar como voluntario para ayudar a las personas que lo necesiten.

Unidad 6 Tus aficiones

Communication	**1.1** Sets of speaking questions for all of the *Desafíos*: The questions and prompts may be used for class practice as well as for formal assessment.	**1.2** Listening comprehension and reading comprehension passages for all of the *Desafíos*.	**1.3** Writing and speaking prompts for all of the *Desafíos*: The questions and prompts may be used for class practice as well as for formal assessment.
Cultures	**2.1** Students make a list of historic *paradores* in Spain and compile advantages and disadvantages to staying in this kind of lodging while traveling.	**2.2** Students investigate the *caballitos de totora* and their use by the Moche culture. They explain their findings in small groups to compile information.	
Connections	**3.1** Students research the formation of salt flats and the geographic conditions surrounding them. They investigate similarities and differences between the salt flats in North and South America and present their findings aloud. (Geography)	**3.2** Students read blog entries and watch videos on the *Ruta Quetzal* website, then produce a written or video response to one of the students participating in the event.	
Comparisons	**4.1** Students compare the grammatical structures of indirect speech in English and in Spanish, and use them correctly in speaking and in writing.	**4.2** Students compare the *Noche en Blanco* event to a cultural event in their own city, state, or community.	
Communities	**5.1** Students organize a sporting or cultural event for their community featuring internationally relevant events and performances. They create a poster to publicize the event and give details to the attendees.	**5.2** Students watch an appropriate and culturally authentic Spanish-language movie, then write a short reflection about the topic, the actors, and the experience of watching a foreign film.	

Prueba:
Desafío 1 (págs. 101–102)

1. Parejas

1. c
2. e
3. d
4. b
5. a

2. De película

1. b
2. c
3. a
4. c
5. d

3. No creo que...

1. b
2. d
3. c
4. a
5. b

4. ¿Podrías?

1. e
2. c
3. b
4. d
5. a

5. Opiniones

1. prefiere
2. baila
3. estudie
4. cantan
5. sea

Prueba:
Desafío 2 (págs. 103–104)

1. Competencias

1. B
2. A
3. E
4. C
5. D

2. De deportes

1. d
2. c
3. b
4. e
5. a

3. Tal vez

1. b
2. d
3. c
4. c
5. a

4. Diálogos

1. estudien
2. leas
3. cenen
4. vean
5. lleves

Prueba:
Desafío 3 (págs. 105–106)

1. Vámonos de viaje

1. c
2. b
3. a
4. e
5. d

2. Viajes

1. c
2. d
3. a
4. d
5. b

3. Estilo indirecto

1. c
2. d
3. a
4. a
5. c

4. Donde y adonde

1. adonde
2. donde
3. por donde
4. desde donde
5. donde

Prueba:
Desafíos 1–3 (págs. 107–108)

1. Tiempo libre

1. c
2. a
3. c
4. b
5. d

2. Trabajo y ocio

1. b
2. e
3. a
4. c
5. d

3. A lo mejor

1. d
2. e
3. a
4. b
5. c

4. Preguntas

1. c
2. a
3. a
4. c
5. a

Examen: Unidad 6.
Tus aficiones (págs. 109–114)

1. Mis aficiones

1. d
2. e
3. c
4. a
5. b

2. Opciones

1. d
2. a
3. b
4. c
5. b

3. ¿Para qué?

1. cenes
2. participar
3. sacar
4. explique
5. llevar

4. Oraciones incompletas

1. c
2. a
3. d
4. d
5. c

5. Muy cultural

1. d
2. a

3. c
4. e
5. b

6. Opciones culturales

1. b
2. c
3. a
4. b
5. c

7. En la agencia de viajes
Audio script

Silvia: Buenos días. ¿Podría ayudarme?
El agente de viajes: Por supuesto. ¿Qué desea?
Silvia: Me gustaría hacer un viaje organizado a París y a Barcelona, con mi esposo.
El agente de viajes: ¿Cuándo desean viajar?
Silvia: Preferimos ir en junio.
El agente de viajes: Hay un viaje de diez días que empieza en Guadalajara, en México. Se sale de allí con destino a París el cinco de junio. Incluye el vuelo directo, el viaje en tren de París a Barcelona, las habitaciones en hoteles bien situados y tres excursiones. Tiene muy buen precio, aunque es temporada alta. Puedo hacerle la reserva ahora.
Silvia: Suena muy bien. De acuerdo, haga la reserva, por favor. También quería conseguir boletos para el *ballet* en París y para un partido de fútbol en Barcelona.
El agente de viajes: Sin problema. Puedo reservarle los boletos para el partido y el espectáculo que elijan, y pueden recogerlos en las taquillas del estadio y del teatro cuando lleguen. Necesito el número de su tarjeta de crédito para poder confirmar la reserva del viaje

y de los boletos. También necesito el nombre de cada pasajero para las tarjetas de embarque.
Silvia: Claro. Aquí tiene los datos.
El agente de viajes: Muy bien, su viaje a París y a Barcelona está confirmado. Recuerde que tiene que llevar el pasaporte porque es un vuelo internacional. En Barcelona debe confirmar la reserva de su vuelo de regreso 48 horas antes de la fecha de salida. También sería posible cancelar la reserva. Espero que disfruten mucho del viaje.
Silvia: Muchas gracias. Hasta luego.

Answers

1. organizado
2. temporada alta
3. partido de fútbol
4. pasaporte
5. bien situados

8. Tu ocio
Questions

1. ¿Qué tipo de películas te gustan?
2. ¿En qué deportes competitivos participas?
3. ¿Qué deportes puedes practicar en el mar?

Sample answers

1. Me gustan mucho las películas policíacas y las de suspenso, pero mis favoritas son las películas de terror.
2. Juego al baloncesto en el equipo de la escuela y practico la natación. También me gusta jugar al fútbol.
3. En el mar se puede practicar la vela, el esquí acuático, el remo y la natación.

9. En el chat

1. F
2. C
3. C
4. F
5. C

10. Tus aficiones
Sample answers

1. Para viajar a un país extranjero, prefiero ir en avión porque es más rápido. También me gusta viajar en coche porque se puede parar en el camino para ver otros lugares. Me gustan los viajes culturales y también los viajes para relajarme y divertirme.
2. Para realizar un vuelo internacional tienes que llevar la tarjeta de embarque y el pasaporte. Para viajar a algunos países, también se necesita visa.
3. Me gusta mucho el cine y me encantan los espectáculos musicales. Solo he ido una vez a la ópera y me pareció un espectáculo muy interesante y bonito.
4. Me gusta más el cine porque puedo ver películas que cuentan historias muy diferentes. El cine me divierte y me lleva fácilmente a otros lugares y otras épocas.
5. En mi opinión, los deportes más difíciles de practicar son los deportes peligrosos, como el alpinismo o el surf. También me parece que se necesita mucha habilidad para navegar en vela, por ejemplo, y mucha fuerza para practicar el remo.

Unidad 7 Por el planeta

Communication	**1.1** Sets of speaking questions for all of the *Desafíos*: The questions and prompts may be used for class practice as well as for formal assessment.	**1.2** Listening comprehension and reading comprehension passages for all of the *Desafíos*.

1.3 Writing and speaking prompts for all of the *Desafíos*: The questions and prompts may be used for class practice as well as for formal assessment.

Cultures

2.1 Students choose a Spanish-speaking country and investigate the national symbols of that country. They collaborate with other students to create a map of the symbols of the Spanish-speaking world.

2.2 Using current websites, students research the ways in which the most recent Inti Raymi festival was celebrated in Peru. They make a brochure for the event, featuring images and text.

Connections

3.1 Students write about other migratory species and the ecosystems in which they make their habitats. They present one of these species and its ecological needs to the class. (Science)

3.2 Students research *Expoartesanías* online and describe the event, including dates, location, entrance fee, and typical artesan products featured at this event.

Comparisons

4.1 Students compare the use of the subjunctive mood in Spanish to related contexts and structures in English and demonstrate correct use of the indicative and subjunctive moods in speaking and writing.

4.2 Students compare ecological situations in their own community with some that are of current concern in Spain and Latin America. They propose similarities, differences, and possible solutions to these problems.

Communities

5.1 Students create a weather forecast for the local weather in their area for the next 10 days, using text and images. They post the weather forecast in their homes for personal use.

5.2 Students identify fair trade and sustainable goods that are for sale in their community. In a group, they make a list of everyday opportunities to support fair trade and sustainable commerce.

Prueba:
Desafío 1 (págs. 115–116)

1. El medio ambiente

1. c
2. e
3. a
4. d
5. b

2. La naturaleza

1. c
2. a
3. d
4. b
5. a

3. Si pasa...

1. e
2. c
3. d
4. b
5. a

4. ¿Y si fuera así?

1. b
2. a
3. d
4. a
5. d

5. Condiciones

1. visitaría
2. conocieras
3. viera
4. pagarían
5. fuera

Prueba:
Desafío 2 (págs. 117–118)

1. Climas locos

1. B
2. D
3. A
4. C
5. E

2. En las galaxias

1. b
2. d
3. e
4. a
5. c

3. Antes o después

1. b
2. a
3. a
4. c
5. d

4. Es increíble

1. Es increíble que José haya perdido sus botas.
2. La maestra espera que los estudiantes hayan estudiado.
3. No es posible que tú hayas vuelto tan pronto.
4. Yo dudo que la fiesta haya terminado temprano.
5. Me alegra que ellos hayan viajado a Perú.

Prueba:
Desafío 3 (págs. 119–120)

1. Recursos y desastres

1. b
2. d
3. a
4. c
5. c

2. En nuestro mundo

1. b
2. d
3. a
4. e
5. c

3. ¿Por qué?

1. a
2. d
3. c
4. c
5. b

4. ¿A quién?

1. a
2. —
3. —
4. a
5. a

Prueba:
Desafíos 1–3 (págs. 121–122)

1. Categorías

1. c
2. e

3. b
4. a
5. d

2. Muchas preguntas

1. c
2. b
3. d
4. d
5. a

3. Dos presentes perfectos

1. b
2. e
3. a
4. d
5. c

4. Antes que nada

1. b
2. d
3. b
4. b
5. c

5. ¿A?

1. a
2. —
3. a
4. a
5. —

Examen: Unidad 7.
Por el planeta (págs. 123–128)

1. Todo mezclado

1. c
2. d
3. a
4. d
5. b

2. Verbos ecológicos

1. d
2. b
3. a
4. e
5. c

3. ¿Por qué y para qué?

1. c
2. b
3. e
4. d
5. a

4. Situaciones hipotéticas

1. b
2. a
3. c
4. c
5. a

5. Sitios especiales

1. c
2. a
3. d
4. b
5. a

6. Gente con mundo

1. mariposas monarca
2. Chile
3. Guatemala
4. Noche de san Juan
5. Inti Raymi

7. Nuestro planeta Tierra

Audio script

Hola, chicos. Soy Roberto, un joven preocupado por el futuro de nuestro planeta. La Tierra es una parte muy pequeña de una galaxia enorme, pero es nuestro mundo, así que debemos cuidarlo.

Los periodistas nos informan del cambio climático en el mundo. En algunas regiones se ven fenómenos meteorológicos como ciclones, que traen fuertes vientos y grandes chubascos. Dejan inundaciones y destrucción. Sin embargo, en otras regiones hay sequías que amenazan la agricultura. Si los agricultores siembran y se agota el agua, no cultivan nada.

¿Por qué ocurren estos cambios meteorológicos? Los científicos y los ecologistas dicen que es por el efecto invernadero causado por la contaminación y la deforestación. Debido a la industria, se destruyen muchos bosques. Y el uso de carbón contamina el aire. Deberíamos parar esto antes de que se destruya completamente el medio ambiente. ¿Qué haremos cuando se hayan agotado los recursos naturales? Si usáramos más energías alternativas producidas por el sol o por el viento, protegeríamos mejor nuestro planeta. ¡Empecemos a cuidarlo ya!

Answers

1. C
2. F
3. F
4. C
5. C

8. ¿Conoces tu mundo?

Prompt

The Spanish Club is planning a recycling campaign for school. Imagine that you are the club president and you are talking to the members about the campaign. Talk about the project, the different recyclable materials that will be collected, and the different collection points in the school.

Sample answer

En nuestro programa de reciclaje, se pueden reciclar muchos tipos de materiales. Se pueden reciclar las pilas, incluso las pilas de los teléfonos. Se pueden reciclar las latas y otros objetos de aluminio y estaño. Se pueden reciclar también el cartón y el papel. Pero es importante separar los objetos por el material para ponerlos en el contenedor correcto. Los contenedores están cerca de la puerta del gimnasio.

9. Donde vive Juan

1. agricultura
2. inundaciones
3. cambio climático
4. incendios forestales
5. huracanes

10. Nuestro mundo, nuestro planeta

Sample answers

1. En invierno, hace frío y caen muchas nevadas. En primavera, tenemos chubascos y a veces escarcha. En verano, normalmente hay más temporales con muchos relámpagos. En otoño, sopla el viento y a veces hay granizo.
2. Cuando tiramos basura al mar, lo contaminamos y los animales marinos mueren. El humo de los coches hace que aumente la contaminación del aire. A veces, industrias como la minería y la agricultura también afectan a las plantas y a los animales de una región. Si no reciclamos, los recursos naturales de la Tierra pueden agotarse.
3. Utilizamos la madera en nuestros muebles, el acero en nuestros edificios y el gas natural en nuestras casas.
4. En la clase de Astronomía estudiamos el universo: las galaxias, las estrellas y los planetas.
5. En los Estados Unidos hay una industria importante de agricultura y de ganadería. También, en el oeste y en las montañas hay minería de carbón y otros minerales.

Communication	**1.1** Sets of speaking questions for all of the *Desafíos*: The questions and prompts may be used for class practice as well as for formal assessment.	**1.2** Listening comprehension and reading comprehension passages for all of the *Desafíos*.	**1.3** Writing and speaking prompts for all of the *Desafíos*: The questions and prompts may be used for class practice as well as for formal assessment.
Cultures	**2.1** In addition to the Ninth Avenue International Food Festival in New York, students identify another international food festival that takes place elsewhere in the country, then write a short article promoting the event and explaining its benefits to the local community.	**2.2** Students research the list of UNESCO World Heritage Sites. They make a list of the top three sites from the list that are located in Spanish-speaking countries, and write a short rationale for why they would like to visit each.	
Connections	**3.1** Students write simple numbers (such as birth dates and telephone numbers) using Mayan numerals. Students research the way the Mayas represented numbers over 19 and compare this to our base-10 number system. (Math)	**3.2** Students read the OAS website in Spanish and report about two of the current projects being undertaken by the organization in the Spanish-speaking world.	
Comparisons	**4.1** Students associate the use of the passive voice in English to the relevant structures used in Spanish, and use these structures appropriately in speaking and in writing.	**4.2** Students compare one of the Mayan ruins to Native American structures and artifacts that are relevant to the history of their region. They compare and contrast the information that is known or can be inferred about the two civilizations.	
Communities	**5.1** Students make a mini-directory of their local, city, state, and national representatives. They identify the names, titles, and contact information for their local government officials and write a short description of each person's responsibilities. They share the information with their classmates to encourage active communication with their elected officials.	**5.2** Students develop a plan for the creation of a multicultural museum, monument, or other installation that celebrates the multicultural background of their community. They write a letter explaining the plan, as well as persuading the local leaders to support it.	

Prueba:
Desafío 1 (págs. 129–130)

1. ¿Quiénes fueron?

1. b
2. b
3. d
4. a
5. b

2. En el pasado

1. a. - descubrieron
2. e. - restauraron
3. c. - excavaron
4. d. - reconstruyeron
5. b. - conquistó

3. Lo que pasó

1. e
2. d
3. a
4. b
5. c

4. ¿Pasó o pasará?

1. b
2. d
3. b
4. d
5. b

5. Pasivas

1. fue realizada
2. serán corregidos
3. es organizado
4. será restaurado
5. son leídos

Prueba:
Desafío 2 (págs. 131–132)

1. El gobierno en acción

1. b
2. c
3. a
4. b
5. a

2. De política

1. c
2. d
3. a
4. e
5. b

3. Hechos reales

1. b
2. d
3. a
4. e
5. c

4. Muchas etapas

1. a
2. c
3. d
4. b
5. d

Prueba:
Desafío 3 (págs. 133–134)

1. La sociedad

1. d
2. a
3. e
4. b
5. c

2. La convivencia

1. b
2. a
3. c
4. a
5. d

3. ¿Qué opinas?

1. b
2. c
3. a
4. a
5. c

4. Muchos artículos

1. la
2. unos
3. un
4. las
5. una

Prueba:
Desafíos 1–3 (págs. 135–136)

1. La historia y la sociedad

1. d
2. b
3. a
4. c
5. b

2. Palabras importantes

1. c
2. a
3. e
4. b
5. d

3. Opiniones y hechos

1. e
2. a
3. b
4. c
5. d

4. Posiblemente

1. d
2. b
3. d
4. c
5. b

Examen: Unidad 8.
En sociedad (págs. 137–142)

1. Con sentido

1. d
2. e
3. a
4. c
5. b

2. Países y procesos

1. b
2. a
3. c
4. a
5. d

3. Cuidado con los verbos

1. a
2. c
3. c
4. b
5. a

4. En pasado

1. conocí
2. visitábamos
3. ha vivido
4. había preparado
5. vio

**5. Comunidades
y organizaciones**

1. c
2. a

3. c
4. c
5. a

6. Símbolos

Sample answers

1. La bandera de México es verde, blanca y roja.
2. La ciudad olímpica de Barcelona se construyó para la celebración de los Juegos Olímpicos de 1992.
3. Porque en la ciudad de Nueva York hay una gran mezcla de culturas, etnias y religiones.
4. El Museo del Barrio está en East Harlem, en Nueva York.
5. Barcelona comenzó como una colonia romana que se llamó Barcino.

7. En la clase de Historia

Audio script

Ramón: Rebeca, ¿estuviste ayer en la clase de Historia?

Rebeca: Sí. ¿Y tú por qué no viniste?

Ramón: Ayer, cuando me desperté, me dolía mucho la cabeza.

Rebeca: Ah, ¿y ya estás mejor?

Ramón: Sí, gracias. ¿Y de qué hablaron en la clase?

Rebeca: La profesora habló sobre la conquista de las Américas. Nos contó cosas de los conquistadores españoles.

Ramón: ¡Qué interesante! ¿Y qué les contó?

Rebeca: Pues, nos dijo que cuando Hernán Cortés llegó al territorio que ocupa actualmente México, en el siglo XVI, gran parte de la zona estaba dominada por el poderoso imperio azteca. Cortés y sus hombres invadieron la ciudad de Tenochtitlán y conquistaron el territorio.

Ramón: Sí, yo sé algo de eso. Lo leí en un libro de Historia de las Américas.

Rebeca: La profesora también habló de Francisco Pizarro, conquistador de Perú. Pizarro puso fin a otro gran imperio: el imperio inca.

Ramón: ¿Y hay alguna tarea?

Rebeca: Sí, tenemos que hacer una investigación sobre las formas de gobierno en los territorios conquistados.

Ramón: No creo que sea difícil hacer la tarea. Ahora México y Perú son repúblicas democráticas.

Rebeca: ¡Pero la pregunta no es sobre la actualidad! Mejor vamos a la biblioteca a investigar.

Ramón: ¡Vamos!

Answers

1. siglo XVI
1. imperio azteca
3. conquistador de Perú
4. formas de gobierno
5. república democrática

8. Hablemos de historia, política y sociedad

Questions

1. ¿Quiénes realizan excavaciones y restauran las ruinas antiguas?
2. ¿Qué es la Constitución?
3. ¿Qué ciudades multiculturales conoces?

Sample answers

1. Los arqueólogos realizan excavaciones y restauran las ruinas antiguas.
2. La Constitución es un documento que recoge los derechos y los deberes de los ciudadanos de un país.
3. Nueva York, Londres, Los Ángeles y Miami son ciudades multiculturales.

9. ¡Vota!

1. C
2. F
3. F
4. C
5. F

10. Derechos y deberes

Sample answer

En nuestra sociedad, es un deber de todos respetar los derechos de los demás. Este país es una democracia, así que todos también tienen el derecho —y el deber— de votar en las elecciones para elegir a sus gobernantes. En otros países los ciudadanos no tienen el derecho de votar. Además, a veces en otros países el respeto y la tolerancia no se consideran un deber de todos.

Final Exam

Examen final (págs. 143–150)

1. ¡A vestirse!
- A. el paraguas
- B. el albornoz
- C. la cremallera
- D. el cinturón
- E. los zapatos de tacón

2. ¿Cuál es?
1. d
2. d
3. a
4. c
5. d

3. ¿Cuál corresponde?
1. C
2. E
3. A
4. D
5. B

4. Mi familia
1. c
2. b
3. b
4. a
5. d

5. Tus sentimientos
1. d
2. a
3. b
4. b
5. c

6. Si tuvieras tiempo…
1. e
2. d
3. a
4. b
5. c

7. En la playa
1. hemos ido
2. se ha encargado
3. han preparado
4. han traído
5. hemos pasado

8. Del pasado
1. c
2. e
3. d
4. b
5. a

9. El pluscuamperfecto
1. habían cenado
2. habíamos visto
3. habías hecho
4. había sembrado
5. había llegado

10. El mundo hispanohablante
1. Harvard
2. plaza mayor
3. yuca
4. Barcelona
5. Juegos Olímpicos

11. Muchas culturas
1. Los incas, los mayas y los aztecas son civilizaciones muy poderosas.
2. Los mayas son reconocidos por sus conocimientos avanzados de matemáticas y ciencias.
3. La charreada es el deporte nacional de México.
4. Es una noche entera de eventos culturales que tiene lugar en varias ciudades del mundo.
5. *El Diario La Prensa* es el periódico en español más antiguo de los Estados Unidos.

12. Un día especial
Audio script

Queridos estudiantes:
Hoy termina el curso. Un año más hemos trabajado y estudiado juntos y me siento muy contento por poder celebrar este fin de curso con ustedes. Hace unos meses nos propusimos unas metas que veíamos difíciles de alcanzar. Sin embargo, logramos todos nuestros objetivos. Los estudiantes han hecho un avance importante y en general han obtenido buenas notas. Además, los profesores no han encontrado problemas graves de disciplina. ¡Les felicito a todos!
En el área de deportes, nuestro equipo de baloncesto ganó el campeonato estatal. Hacía mucho tiempo que no había un campeón estatal en esta ciudad.
Por otra parte, la orquesta de la escuela dio varios conciertos con gran éxito. Además, la estudiante Josefina Landeros recibió un premio del alcalde de la ciudad por su proyecto para el cuidado del medio ambiente y el fomento del reciclaje. ¡Felicidades, Josefina!
Deseo que el próximo año se esfuercen para alcanzar los mismos resultados y, si es posible, los superen. Estoy seguro de que lo lograrán. ¡Gracias y felices vacaciones!

Answers
1. (poder) celebrar
2. buenas notas
3. campeonato estatal
4. reciclaje
5. premio

13. Al cine y al teatro
Prompt

Imagine that this past weekend you went to the movies with your friends and to the theater with your parents. One was great, the other was a disaster. Talk about your experiences at each event. Express your opinion about each event.

Sample answer

Este viernes fui al cine con mis amigos, pero no lo pasamos muy bien. Primero, la máquina de los refrescos estaba rota. Además, llegamos tarde y no había butacas juntas, así que tuve

182   Assessments Blackline Master Español Santillana. ® Santillana USA

que sentarme lejos de mis amigos. Luego, el celular de la chica que estaba a mi lado no dejaba de sonar. ¡Perdí la mitad de la película!

El sábado fui al teatro con mis padres. No quería ir porque pensaba que me iba a aburrir. ¡Pero fue fantástico! Nos sentamos en la primera fila para poder ver todo muy bien. Luego el director nos mostró el escenario y conocimos a varios actores y actrices. ¡Qué bien lo pasamos!

14. Equilibrio vital

1. F
2. F
3. C
4. C
5. C

15. Tu opinión y tu experiencia

Sample answers

1. Hoy en casi todas las profesiones se trabaja con la tecnología. Para profesionales como los programadores informáticos o los diseñadores gráficos la tecnología es imprescindible.

2. Antes de un viaje largo, siempre preparo mi pasaporte. Compro los boletos con mucha antelación y preparo el equipaje cuidadosamente. Normalmente viajo durante el verano, así que no tengo que hacer tareas para la escuela, pero tengo que pedir que mi vecino cuide a mi gato.

3. La última vez que estuve enfermo tuve la gripe. Fue el invierno pasado. Me dolían la cabeza y los músculos, y tenía fiebre. Fui al médico.

4. Mis amigos y yo preferimos ir al lago para nadar y remar cuando hace buen tiempo. A veces vamos al teatro o al cine si hace frío.

5. Para ser buenos ciudadanos, debemos respetar a los demás y fomentar con nuestras acciones la solidaridad, la justicia y la convivencia en paz.

CRÉDITOS FOTOGRÁFICOS

NOTAS

NOTAS

NOTAS

NOTAS

NOTAS

NOTAS

NOTAS